Les dessous de la politique de la politique de l'Oncle Sam

D1125311

Noam Chomsky

Les dessous de la politique de la politique de l'Oncle Sam

Traduit de l'anglais par
J.-M. Flémal

LE TEMPS DES CERISES

Révision : Françoise Forest
Typographie : Marie-Claude Rochon
Illustration de la couverture : Pierre Faucher
Responsable de la production : Serge Mongeau

Titre original : *What Uncle Sam really wants,*
Tucson, Odonian Press, 1992
(C.P. 32 375, Tucson, AZ 85751, USA. Tél. : 520 296 4056)
© Noam CHOMSKY, 1986-1992
© Les Éditions EPO, pour la traduction française, 1996
Une co-édition : Écosociété/EPO/Le Temps des Cerises

2ième tirage

Les Éditions Écosociété
C.P. 32 052, Montréal, Québec, H2L 4Y5

Les Éditions EPO
20A, rue Houzeau de Lehaie, 1080, Bruxelles, Belgique

Les Éditions Le Temps des Cerises
6, ave Edouard Vaillant, 93500 Pantin, France

Dépôt légal :
4ième trimestre 1996

ISBN : 2-921561-28-X (Écosociété)

ISBN : 2-87262-116-14 (EPO)

ISBN : 2-84109-072-8 (Le Temps des Cerises)

Diffuseur en Amérique : *Dimédia inc.*
539, boul. Lebeau, Saint-Laurent (Québec), H4N 1S2

Données de catalogage avant publication (Canada) :
Chomsky, Noam
Les dessous de la politique de l'Oncle Sam
Comprend des réf. bibliogr. et un index
ISBN 2-921561-28-X (Écosociété) - ISBN 2-8726-116-14 (EPO)
- ISBN 2-84109-072-8 (Le Temps des Cerises)
1. États-Unis - Relations extérieures - Philosophie. 2. États-Unis -
Relations extérieures - 1945-1989. 3. États-Unis - Relations
extérieures - 1989-1993. I. Titre.

E183.7.C4814 1996   327.73   C96-941059-X

Les Éditions Écosociété bénéficient d'une subvention
globale du Conseil des Arts du Canada.

Table des matières

Note préliminaire
de la première édition

LA MATIÈRE DE CE LIVRE a été rassemblée à partir des exposés et des interviews mentionnés ci-dessous, et auxquels le Dr Chomsky a ensuite apporté des modifications, ajouts ou suppressions, afin de les rendre publiables sous forme écrite :

- un exposé faisant partie d'un *teach-in* à la radio WBAI, New York, 13 janvier 1991 ;

- un entretien téléphonique conduit par Kris Welch et Philip Maldari à la radio KPFA, Berkeley, Californie, 12 décembre 1990 ;

- *The Sociopolitical Context of the Assassination of Ignacio Martin-Baro,* exposé fait lors de l'assemblée annuelle de l'*American Psychological Association*, Boston, 13 août 1990 ;

- *US Still at War Against the World,* article (tiré d'une conférence à la *Central America Solidarity Association*) publié dans le numéro de mai 1990 du bulletin *Resist*;

— des interviews dirigées par David Barsamian à Cambridge, Massachusetts, 1 et 2 février 1990 ;

— *The Roots of US Intervention,* exposé donné au collège Lewis & Clark à Portland, Oregon, 24 janvier 1989, ainsi que l'échange de questions et réponses qui a suivi ;

— *United States International and Security Policy: The «Right Turn» in Historical Perspective,* exposé donné à l'université du Colorado, Boulder, 22 octobre 1986, ainsi que l'échange de questions et réponses qui a suivi.

Avant-propos de
l'éditeur américain

NOAM CHOMSKY est une personnalité de premier plan dans le domaine de la linguistique. Né à Philadelphie en 1928, il enseigne depuis 1955 au *Massachusetts Institute of Technology*, où il est devenu professeur agrégé à l'âge de 32 ans.

Outre son œuvre de linguiste, Chomsky a écrit de nombreux ouvrages sur les événements contemporains. Il lui est arrivé fréquemment de faire ses exposés politiques devant des auditoires contraints de rester debout, et ce, partout aux États-Unis et dans le monde.

Dans une société plus saine, ses efforts inlassables en faveur de la justice lui auraient depuis longtemps valu le prix Nobel de la Paix, mais le comité s'obstine à vouloir l'attribuer à des gens comme Henry Kissinger.

Si vous considérez habituellement les États-Unis comme les défenseurs de la démocratie à travers le monde, une bonne partie de ce que vous allez lire dans ce livre vous paraîtra incroyable. Mais Chomsky est un érudit; les faits relatés dans ce livre sont bien réels, et chaque conclusion est corroborée par de nombreux témoignages. (*Voir pp. 115-121 les références de certains d'entre eux*).

Il fut *très* difficile de comprimer le vaste champ de la pensée sociale de Chomsky dans un livre aussi petit. Aux pages 133-135, vous trouverez une liste de ses autres livres politiques, qui traitent avec infiniment plus de détails la totalité des sujets abordés ici.

Des centaines de bandes et de transcriptions des exposés et interviews de Chomsky (ainsi que de nombreux autres orateurs intéressants) sont disponibles chez David Barsamian, 2129 Mapleton, Boulder, Colorado 80304, 303/444-8788 (catalogue gratuit sur demande).

Arthur Naiman et Sandy Niemann

CHAPITRE PREMIER

Les principaux objectifs de la politique étrangère américaine

Protéger notre propre terrain

Les relations entre les États-Unis et les autres pays remontent de toute évidence aux origines de l'histoire américaine, mais la Seconde Guerre mondiale fut la vraie plaque tournante de ces relations, et c'est donc là que nous commencerons.

Alors que la plupart de nos rivaux industriels ont été, soit sévèrement affaiblis, soit complètement anéantis par la guerre, les États-Unis, eux, en ont tiré un profit énorme. Notre territoire national n'a jamais subi la moindre attaque, et la production américaine a plus que triplé.

Même avant la guerre, les États-Unis étaient déjà, et de loin, la principale nation industrielle de la planète — comme ils l'avaient été dès le tournant du siècle. Après la guerre, cependant, nous détenions pratiquement 50 pour cent de la richesse mondiale, et nous contrôlions les deux rives des deux océans. Jamais, au cours de l'histoire, une puissance n'avait pu exercer un contrôle aussi écrasant sur la planète, ni jouir d'une telle sécurité.

Les gens qui déterminent la ligne de conduite américaine en étaient bien conscients : les États-Unis émergeraient de la Seconde Guerre en tant que première puissance planétaire de l'Histoire. Pendant et après le conflit, ces gens planifièrent minutieusement les formes du monde d'après-guerre. Et comme nous vivons dans une société ouverte, nous pouvons prendre connaissance de leurs plans, qui sont très clairs et très explicites.

Les planificateurs américains — depuis ceux du secrétariat d'État jusqu'à ceux du conseil des Relations étrangères (un canal important grâce auquel les chefs de file du monde des affaires exercent leur influence sur la politique étrangère) — se mirent d'accord pour dire que la domination des États-Unis devait être maintenue. Mais il y avait tout un éventail d'opinions quant à la manière de le faire.

À l'une des extrémités, celle de la ligne dure, vous avez des documents comme le *Mémorandum n° 68 du conseil national de Sécurité* (1950) (NSC 68), qui présentait les vues du secrétaire d'État Dean Acheson, et qui avait été rédigé par Paul Nitze (toujours dans le coup aujourd'hui : il fut l'un des négociateurs de Reagan pour le contrôle de l'armement). Il en appelait à «une stratégie du démantèlement», qui devait «faire germer les graines de la destruction dans le système soviétique», de sorte que nous puissions négocier ensuite un accord à nos propres conditions «avec l'Union soviétique (ou avec le ou les États qui lui auraient succédé)».

Les lignes de conduite préconisées par le NSC 68 auraient exigé «un esprit de sacrifice et de discipline» de la part des États-Unis — en d'autres termes, d'énormes dépenses militaires et des restrictions dans les services sociaux. Il aurait également été nécessaire de surmonter

« l'excès de tolérance » qui laissait le champ libre à trop de dissidence interne.

Ces lignes de conduite, en fait, avaient déjà été appliquées antérieurement. En 1949, l'espionnage américain en Europe de l'Est s'était concrétisé sous la forme d'un réseau dirigé par Reinhard Gehlen, qui avait été à la tête des renseignements militaires nazis sur le front de l'Est. Ce réseau faisait partie de l'alliance américano-nazie qui avait rapidement absorbé nombre des pires criminels de guerre, et avait étendu son champ d'action à l'Amérique latine et à d'autres parties du monde.

Ces opérations comprenaient une « armée secrète » placée sous les auspices américano-nazis, qui visait à fournir des agents et du matériel militaire aux troupes établies par Hitler et qui, au début des années 1950, opéraient toujours en Union soviétique et dans l'Europe de l'Est. (Ceci est connu aux États-Unis, mais on n'y attache pas d'importance — cela ferait pourtant froncer quelques sourcils si l'on inversait les rôles et que l'on découvrait, par exemple, que l'Union soviétique aurait largué des agents et du matériel à des troupes envoyées par Hitler et opérant dans les Rocheuses.)

La position libérale extrême

Le NSC 68 est la position extrême de la ligne dure, et rappelez-vous : les lignes de conduite n'étaient pas que théoriques — nombre d'entre elles, en fait, étaient en application à l'époque. Maintenant, tournons-nous vers l'autre position extrême, celle des colombes. La colombe de proue était sans aucun doute George Kennan, qui dirigea le personnel de planification du secrétariat d'État jusqu'en 1950, lorsqu'il fut remplacé par Nitze. (Le bureau de Kennan, soit dit en passant, était responsable du réseau Gehlen.)

Kennan était l'un des planificateurs américains les plus lucides et les plus intelligents, et il joua un rôle considérable dans le modelage du monde d'après-guerre. Ses écrits sont une illustration extrêmement intéressante de la position des « colombes ». Un document à consulter si vous désirez comprendre les États-Unis, c'est la *Policy Planning Study* (PPS 23) (Étude sur la planification politique), rédigée en 1948 par Kennan pour l'équipe de planification du secrétariat d'État. En voici quelques extraits :

> [...] nous détenons environ 50 pour cent de la richesse de la planète, mais nous ne représentons que 6,3 pour cent de sa population[...] Dans cette situation, nous ne pouvons manquer d'être un objet d'envie et de ressentiment. Notre tâche réelle au cours de la période qui vient est de mettre sur pied un modèle de relations qui nous permettra de maintenir cette position de déséquilibre[...] Pour ce faire, nous devons nous dispenser de toute forme de sentimentalité et cesser de rêver les yeux ouverts ; notre attention devra se concentrer partout sur nos objectifs nationaux immédiats[...] Nous devrions cesser de parler d'objectifs vagues et[...] irréalistes tels que les droits de la personne, l'élévation du niveau de vie et la démocratisation. Le jour n'est plus très loin où nous serons obligés d'agir directement en termes de rapports de force. Par conséquent, moins nous nous embarrasserons de slogans idéalistes, mieux cela vaudra.

La PPS 23, naturellement, était un document ultra-secret. Pour apaiser le peuple, il fut nécessaire de claironner des « slogans idéalistes » (et on n'a pas cessé de le faire depuis), mais dans ce cas, les planificateurs se concertèrent.

Dans la même lignée, dans des instructions aux ambassadeurs américains en Amérique latine, en 1950, Kennan faisait observer qu'une des préoccupations majeures de la politique étrangère américaine devait être « la protection de nos matières premières » (en réalité, celles de l'Amérique latine). Nous devions par conséquent combattre une dangereuse hérésie qui, à en croire les services de renseignements américains, se répandait à travers l'Amérique latine : « l'idée selon laquelle le gouvernement est directement responsable du bien-être du peuple. »

Les planificateurs américains appellent cette idée *communisme*, quelles que soient les vues politiques réelles des gens qui la défendent. Même s'il s'agit de sociétés de bienfaisance rattachées à une Église, si elles soutiennent cette hérésie, ce sont des communistes.

Ce point est tout aussi clair dans les documents publics. Par exemple, un groupe d'études de haut niveau déclara, en 1955, que la menace essentielle des puissances communistes (sens réel du mot « communisme » dans la pratique) se situait dans leur refus de remplir leur rôle de soutien — c'est-à-dire « de complément aux économies industrielles de l'Occident ».

Kennan poursuivait en expliquant les moyens qu'il nous faut utiliser contre ceux de nos ennemis devenus la proie de cette hérésie :

> La réponse finale pourrait être déplaisante, mais [...] nous ne devrions pas avoir de scrupules devant l'exercice d'une répression policière par les gouvernements locaux. Cela n'a rien de honteux, vu que les communistes sont avant tout des traîtres [...] Il vaut mieux que le pouvoir soit exercé par un régime fort que par un gouvernement libéral indulgent, laxiste et infiltré par les communistes.

De telles lignes de conduite n'ont pas été inventées par les libéraux d'après-guerre du type Kennan. Comme le secrétaire d'État de Woodrow Wilson l'avait déjà fait remarquer 30 ans plus tôt, la signification pratique de la doctrine Monroe était que « les États-Unis considèrent leurs propres intérêts. L'intégrité des autres nations américaines est accessoire, elle n'est pas une fin en soi. » Wilson, le grand apôtre de l'autodétermination, convint que l'argument était « sans réplique », bien que c'eût été une « erreur politique » que de l'énoncer en public.

Wilson respecta cet argument, entre autres en envahissant Haïti et la République dominicaine, où ses soldats semèrent la mort et la destruction, démolirent le système politique, laissèrent sur place des sociétés américaines fermement installées, et préparèrent le terrain à l'instauration de dictatures brutales et corrompues.

La « Grande zone »

Au cours de la Seconde Guerre mondiale, des groupes d'études du secrétariat d'État et du conseil des Relations étrangères élaborèrent des plans concernant le monde d'après-guerre, et ce, en fonction de ce qu'ils appelèrent la « Grande zone », c'est-à-dire l'ensemble des régions qui devaient être subordonnées aux besoins de l'économie américaine.

Cette Grande zone devait inclure l'hémisphère occidental, l'Europe de l'Ouest, l'Extrême-Orient, l'ancien Empire britannique (en plein démantèlement), les ressources énergétiques incomparables du Moyen-Orient (qui passèrent aux mains des Américains après que nous y eûmes évincé nos rivaux français et britanniques), le reste du tiers monde et, dans la mesure du possible, la planète tout entière. Chaque fois que les occasions le permirent, ces plans furent exécutés.

Chaque région du nouvel ordre mondial se vit attribuer une fonction spécifique. Les pays industrialisés devaient être guidés par les « grands ateliers », à savoir l'Allemagne et le Japon, qui avaient fait preuve de leurs prouesses au cours de la guerre (et qui désormais travailleraient sous contrôle américain).

Le tiers monde devait « remplir sa fonction majeure en tant que source de matières premières et marché » pour les sociétés capitalistes industrielles, comme le laissait entendre un mémorandum du secrétariat d'État daté de 1949. Il devait être exploité (selon les propres mots de Kennan) en vue de la reconstruction de l'Europe et du Japon. (On y réfère à l'Asie du Sud-Est et à l'Afrique, mais l'idée s'applique en général.)

Kennan laissait même entendre que l'Europe pourrait ressentir un encouragement psychologique à l'idée d'« exploiter » l'Afrique. Naturellement, personne ne suggéra que l'Afrique pouvait exploiter l'Europe pour sa propre reconstruction, et peut-être de cette façon aussi améliorer son propre état d'esprit. Ces documents ont été rendus accessibles, mais ils ne sont consultés que par des intellectuels, qui apparemment n'y trouvent rien d'étrange ou de choquant.

La guerre du Viêt-nam découla de la nécessité de garantir ce rôle de soutien. Les nationalistes vietnamiens refusèrent de s'y conformer, de sorte qu'il fallut les écraser. La menace ne consistait pas en ce qu'ils allaient conquérir un autre pays, mais en ce qu'ils pouvaient représenter un dangereux exemple d'indépendance nationale susceptible d'inspirer d'autres nations de la région.

Le gouvernement américain avait deux rôles majeurs à jouer. Le premier était d'assurer la sécurité des vastes étendues de la Grande zone. Cela demandait une attitude très intimidante, pour s'assurer que personne ne ferait obstacle à l'exécution de cette tâche — ce qui est une des raisons pour lesquelles il y eut un tel effort pour développer les armes nucléaires.

Le second rôle du gouvernement était d'organiser un système public de subventions à l'intention des industries de technologie de pointe. Pour diverses raisons, on opta en général pour la méthode des dépenses militaires.

Le libre-échange, c'est bien beau dans les facultés de sciences économiques et les éditoriaux des journaux, mais personne au sein des grandes entreprises ou du gouvernement ne prend cette doctrine au sérieux. Les secteurs de l'économie américaine qui sont capables de se défendre sur le plan international sont en premier lieu ceux qui reçoivent des subsides de l'État : l'agriculture capitaliste intensive (l'*agrobusiness*, comme on l'appelle), les industries de technologie de pointe, l'industrie pharmaceutique, la biotechnologie, etc.

Il en est de même pour les autres sociétés industrielles. Le gouvernement américain paie avec les deniers publics la recherche et le développement et, surtout par le biais du secteur militaire, ouvre grand un marché garanti par l'État pour une production de gaspillage. Si quelque chose peut se vendre sur le marché, le secteur privé s'en charge. Ce système de subventions publiques et de profits privés porte un nom : la « libre entreprise ».

Restaurer l'ordre traditionnel

Les planificateurs d'après-guerre, comme Kennan, comprirent d'emblée qu'il serait essentiel pour la santé des entreprises américaines que les autres sociétés industrielles d'Occident se relèvent des dommages de la guerre, de façon qu'elles puissent importer des produits manufacturés américains et offrir des possibilités d'investissement. (J'inclus le Japon dans l'Occident, conformément à la convention sud-africaine, qui considère les Japonais comme des « Blancs à titre honoraire».) Mais il était d'une importance capitale que ces sociétés se reconstruisent d'une manière bien précise.

L'ordre traditionnel, de droite, devait être restauré : le monde des affaires dominant, les travailleurs divisés et affaiblis, et le fardeau de la reconstruction placé carrément sur les épaules des classes laborieuses et des pauvres.

L'obstacle majeur à ce plan, c'était la résistance antifasciste, de sorte que nous l'écrasâmes partout dans le monde, la remplaçant souvent par des fascistes et des collaborateurs nazis. Parfois, il fallut recourir à une violence extrême, mais en d'autres occasions, on put y arriver par des mesures plus souples, en faussant des élections, par exemple, ou en retardant des livraisons de vivres désespérément nécessaires. (Ceci devrait constituer le premier chapitre de tout honnête manuel d'Histoire de la période d'après-guerre, mais en fait, c'est un sujet qui n'est pratiquement jamais abordé.)

Le schéma fut inauguré en 1942, lorsque le président Roosevelt installa un amiral français, Jean Darlan, aux fonctions de gouverneur général de l'ensemble de l'Afrique du Nord française. Darlan était un collaborateur nazi éminent et l'auteur des lois antisémites promulguées par le gouvernement de Vichy (le régime collaborateur des nazis en France).

Mais bien plus importante fut la première région d'Europe libérée — l'Italie du Sud, où les États-Unis, suivant le conseil de Churchill, imposèrent une dictature de droite dirigée par le héros de guerre fasciste, le maréchal Badoglio, et le roi Victor-Emmanuel III, qui fut également un collaborateur fasciste.

Les planificateurs américains reconnurent que la « menace » qui planait sur l'Europe n'était pas l'agression soviétique (que des analystes sérieux, comme Dwight Eisenhower, ne prévoyaient d'ailleurs pas), mais plutôt la résistance antifasciste reposant en grande partie sur les travailleurs et les paysans, avec ses idées démocratiques radicales, ainsi que le pouvoir politique et l'attrait des partis communistes locaux.

Pour empêcher un effondrement économique qui aurait accru leur influence, et pour reconstruire les économies capitalistes des États de l'Europe occidentale, les États-Unis instaurèrent le plan Marshall (par lequel, entre 1948 et 1951, l'Europe reçut plus de 12 milliards de dollars en prêts et allocations, sommes qui servirent à acheter un tiers des exportations américaines vers l'Europe durant l'année de pointe, 1949).

En Italie, un mouvement composé en grande partie de travailleurs et de paysans et conduit par le Parti communiste, avait tenu en échec six divisions allemandes au cours de la guerre et libéré le Nord du pays. Au fur et à mesure que les forces américaines progressaient à travers l'Italie, elles dispersèrent cette résistance antifasciste et remirent en place la structure fondamentale du régime fasciste d'avant-guerre.

L'Italie a été une des zones principales de la subversion de la CIA, dès la fondation de l'agence. La CIA s'inquiétait de ce que les communistes eussent pu s'emparer du pouvoir de façon légale au cours des élections cruciales de 1948. Un grand nombre de techniques furent utilisées, y compris la restauration de la police fasciste, le démantèlement des syndicats et le blocage des vivres. Mais il n'était pas évident que le Parti communiste pût être battu.

Le tout premier mémorandum du conseil national de Sécurité, le NSC 1 (1948), mentionnait un certain nombre de mesures que les États-Unis prendraient si les communistes remportaient ces élections. Une des mesures prévues était l'intervention armée, par le truchement d'une aide militaire à des opérations clandestines en Italie.

Certains, particulièrement George Kennan, étaient partisans d'une intervention militaire *avant* les élections — il ne voulait pas courir de risques. Mais d'autres le convainquirent que nous pourrions réussir le coup par la subversion, ce qui s'avéra une tactique efficace.

En Grèce, les troupes britanniques attendirent le retrait des nazis pour faire leur entrée. Elles imposèrent un régime corrompu qui suscita un regain de résistance, et la Grande-Bretagne, dans son déclin d'après-guerre, fut incapable de conserver le contrôle de la situation. En 1947, les États-Unis prirent les choses en main, soutenant une guerre meurtrière qui fit environ 160 000 morts.

Ce fut une guerre totale avec torture, exil politique pour des dizaines de milliers de Grecs, « camps de rééducation » pour des dizaines de milliers d'autres, démantèlement des syndicats et impossibilité de retour à une politique indépendante.

Ces actions livrèrent la Grèce pieds et poings liés aux mains des investisseurs américains et des hommes d'affaires locaux, tandis qu'une bonne partie de la population fut obligée d'émigrer afin de survivre. Au nombre des bénéficiaires se trouvaient des collaborateurs nazis, tandis que les grandes victimes furent les travailleurs et les paysans de la résistance antinazie, dirigée par les communistes.

Le succès de notre opération de défense de la Grèce contre sa propre population servit de modèle à la guerre du Viêt-nam — comme Adlaï Stevenson l'expliqua aux Nations unies en 1964. Les conseillers de Reagan utilisèrent exactement le même schéma en parlant de l'Amérique centrale, et la méthode fut appliquée dans de nombreux autres endroits.

Au Japon, Washington lança pour la première fois la soi-disant « marche arrière » de 1947 qui mit un terme très tôt aux mesures de l'administration militaire du général

MacArthur en faveur de la démocratisation. La «marche arrière» supprima les syndicats et autres forces démocratiques et livra le pays sans défense aux mains des gens d'affaires qui avaient soutenu le fascisme japonais. (Ce système de pouvoir étatique et privé est toujours en vigueur.)

Lorsque l'armée américaine entra en Corée, en 1945, elle chassa le gouvernement populaire local, constitué en premier lieu d'antifascistes qui avaient résisté aux Japonais, et elle organisa une répression brutale, utilisant pour ce faire la police fasciste japonaise ainsi que des Coréens qui avaient collaboré avec elle pendant l'occupation nippone. Quelque 100 000 personnes furent assassinées en Corée du Sud bien antérieurement à ce que nous appelons la guerre de Corée, y compris les 30 ou 40 000 personnes qui furent tuées au cours de la répression d'une révolte paysanne dans la seule petite région de l'île de Cheju.

Un coup d'État fasciste en Colombie, inspiré par celui de Franco en Espagne, ne souleva guère de protestations de la part du gouvernement américain ; pas plus que ne le fit un coup d'État militaire au Venezuela ou la restauration d'un admirateur du fascisme à Panama. Mais le premier gouvernement démocratique de l'histoire du Guatemala, qui s'inspirait du *New Deal* de Roosevelt, éveilla une hostilité implacable chez les Américains.

En 1954, la CIA machina un coup d'État qui transforma le Guatemala en un véritable enfer. Il a toujours été maintenu dans ces conditions depuis lors, avec intervention et soutien réguliers de la part des États-Unis, particulièrement sous Kennedy et Johnson.

Une composante de la suppression de la résistance antifasciste fut le recrutement de criminels de guerre comme Klaus Barbie, un officier SS qui avait été le chef de la Gestapo de Lyon, en France. C'est là qu'il avait gagné son surnom : le Boucher de Lyon. Bien qu'il fût responsable de nombreux crimes atroces, l'armée américaine lui confia la tâche d'espionner les Français.

Lorsque Barbie fut finalement ramené en France, en 1982, pour y être jugé en qualité de criminel de guerre, son utilisation en tant qu'agent fut ainsi expliquée par le colonel (à la retraite) Eugene Kolb, des services de contre-espionnage de l'armée américaine : on avait « un besoin pressant des capacités de Barbie... Ses activités avaient été dirigées contre le Parti communiste français clandestin et la Résistance », qui étaient maintenant la cible de la répression des libérateurs américains.

Vu que les États-Unis reprenaient la tâche là où les nazis l'avaient laissée, il était parfaitement logique de faire appel à des spécialistes de la lutte contre la Résistance. Plus tard, lorsqu'il devint difficile ou impossible de protéger ces gens utiles en Europe, nombre d'entre eux (y compris Barbie) furent envoyés en douce aux États-Unis ou en Amérique latine, souvent avec l'aide du Vatican et de prêtres fascistes.

Là, ils devinrent conseillers militaires des États policiers soutenus par les États-Unis et qui avaient été modelés, souvent de façon tout à fait flagrante, sur le Troisième Reich. Ils devinrent également trafiquants de drogue, marchands d'armes, terroristes et « éducateurs » — enseignant aux paysans latino-américains les techniques de torture mises au point par la Gestapo. Parmi les « étudiants » des nazis, certains se retrouvèrent en Amérique centrale, établissant par conséquent un lien direct entre les camps de concentration et les escadrons de la mort — tout ceci grâce à l'alliance d'après-guerre entre les États-Unis et les SS.

Notre engagement envers la démocratie

Dans toute une série de documents de haut niveau, les planificateurs américains se sont mis d'accord pour affirmer que la menace primordiale contre le nouvel ordre dirigé par les États-Unis était le nationalisme du tiers monde — parfois appelé *ultranationalisme*: il s'agit de «régimes nationalistes» répondant aux «exigences populaires en faveur d'une amélioration immédiate du niveau de vie des masses» et d'une production axée sur les besoins domestiques.

Les intentions premières des planificateurs, et qu'ils ressassaient inlassablement, étaient de veiller à ce que de tels régimes «ultranationalistes» ne pussent jamais prendre le pouvoir — ou, si par quelque coup du sort, ils le faisaient, de les écarter et d'installer à leur place des gouvernements qui favoriseraient les investissements privés de capitaux internes et étrangers, la production axée sur l'exportation et le droit de réinvestir les profits hors du pays. (Ces desseins ne sont jamais remis en question dans les documents secrets. Si vous êtes l'un des planificateurs de la politique américaine, ils constituent en quelque sorte l'air même que vous respirez.)

L'hostilité à la démocratie et aux réformes sociales n'est jamais bien accueillie dans le pays qui en est la victime. Vous ne pouvez espérer que ces mesures vont passionner nombre d'autochtones, hormis un petit groupe de gens liés au monde des affaires américain et qui en tireront profit.

Les États-Unis s'attendent à devoir compter sur la force, et nouent des alliances avec les militaires — «les moins antiaméricains de tous les groupes politiques en Amérique latine», comme les ont définis les planificateurs de Kennedy — de sorte qu'on peut leur faire confiance pour écraser tous les groupes populaires indigènes qui échapperaient à leur contrôle.

Les États-Unis ne sont disposés à tolérer les réformes sociales — comme au Costa Rica, par exemple — que lorsque les droits des travailleurs ont été supprimés et qu'un climat favorable aux investissements étrangers a été maintenu. Et c'est parce que le gouvernement du Costa Rica a toujours respecté ces deux impératifs cruciaux qu'il a été autorisé à s'amuser avec ses réformes.

Un autre problème sur lequel reviennent encore et toujours ces documents secrets, c'est le libéralisme excessif des pays du tiers monde. (Ce fut là particulièrement un motif d'inquiétude en Amérique latine, où les gouvernements ne se préoccupaient pas assez de contrôler la pensée et le passage des voyageurs aux frontières, et où les systèmes juridiques étaient si déficients qu'ils allaient jusqu'à exiger des preuves pour intenter des procès criminels.)

C'est une lamentation que l'on entend constamment tout au long de la période Kennedy (après cette période, les documents n'ont pas encore été livrés au public). Sous Kennedy, les libéraux se montraient intransigeants sur la nécessité de venir à bout des débordements démocratiques qui permettaient la « subversion » —, entendant par là, naturellement, les opinions de ceux qui ne pensent pas comme eux.

Les États-Unis ne manquaient pourtant pas de compassion envers les pauvres. Par exemple, au milieu des années 1950, notre ambassadeur au Costa Rica conseilla à la *United Fruit Company*, qui en fait gérait le pays, d'introduire « quelques fioritures d'ordre humanitaire relativement simples et superficielles dans ses rapports avec les travailleurs : cela pourrait avoir sur eux un gros effet psychologique. »

Le secrétaire d'État John Foster Dulles était d'accord. Il déclara au président Eisenhower : pour garder l'Amérique latine dans l'alignement, « vous devriez les caresser un peu dans le sens du poil et leur faire croire que vous les aimez beaucoup ».

Au vu de tout ce qui précède, les lignes de conduite américaines dans le tiers monde sont faciles à comprendre. Nous nous sommes fermement opposés à la démocratie chaque fois que nous n'avons pas été sûrs de pouvoir en contrôler les conséquences. Le problème des vraies démocraties est qu'elles sont susceptibles de tomber dans cette hérésie selon laquelle les gouvernements devraient répondre aux besoins de leur propre population, au lieu de favoriser prioritairement les intérêts des investisseurs américains.

Une étude du système interaméricain publiée par le *Royal Institute of International Affairs*, à Londres, concluait par cette constatation : alors que les États-Unis ne s'intéressent à la démocratie que pour la forme, leur véritable engagement va à « l'entreprise privée et capitaliste ». Lorsque les droits des investisseurs sont menacés, la démocratie doit s'effacer ; si ces droits sont sauvegardés, les tueurs et les bourreaux s'en tireront très bien.

Des gouvernements parlementaires furent supprimés ou renversés, avec le soutien des Américains et parfois même leur intervention directe : ce fut le cas en Iran en 1953, au Guatemala en 1954 (et en 1963, lorsque Kennedy soutint un coup d'État militaire pour écarter la menace d'un retour à la démocratie), en République dominicaine en 1963 et 1965, au Brésil en 1964, au Chili en 1973, et en maints autres endroits. Nos lignes de conduite furent pratiquement identiques au Salvador ainsi que dans de nombreux autres pays à travers le monde.

Ces méthodes ne sont pas très propres. Ce que les forces de la *contra*, supervisées par les Américains, firent au Nicaragua, ou ce que nos terroristes par procuration font au Salvador ou au Guatemala, va bien au-delà de la simple tuerie. Un élément majeur de l'approche, c'est la torture brutale, sadique — projeter des enfants contre des rochers, pendre des femmes par les pieds après leur avoir coupé les seins et retroussé la peau du visage afin qu'elles saignent à mort, couper les têtes des gens et les ficher sur des piques. L'important, c'est d'écraser le nationalisme indépendantiste et les forces populaires qui pourraient provoquer l'apparition d'une démocratie réelle.

La menace d'un bon exemple

Aucun pays n'est à l'abri de ce genre de méthodes, si petit soit-il. En fait, ce sont même souvent les pays les plus faibles et les plus pauvres qui soulèvent la plus grande hystérie.

Prenez le Laos, au cours des années 1960, sans doute le pays le plus pauvre de la planète. La plupart des gens qui y vivaient ne savaient même pas qu'il existait quelque chose appelé Laos ; tout ce qu'ils savaient, c'est qu'ils se trouvaient dans un petit village et qu'il y avait un autre petit village un peu plus loin.

Mais dès qu'une révolution sociale de très faible envergure commença à s'y développer, Washington soumit le pays à un « bombardement discret » mais meurtrier, effaçant pratiquement de la carte de larges zones habitées au cours d'opérations qui, on voulut bien l'admettre, n'avaient rien à voir avec la guerre livrée par les États-Unis au Sud-Viêt-nam.

Grenade compte une centaine de milliers d'habitants qui produisent une petite noix de muscade, et vous auriez du mal à situer l'île sur une carte. Mais lorsque Grenade vécut les premiers signes d'une révolution sociale modérée, Washington se mit vite en route pour détruire cette menace.

Depuis la révolution bolchevique de 1917 jusqu'à l'effondrement des gouvernements communistes en Europe de l'Est à la fin des années 1980, il fut possible de justifier chaque attaque américaine comme étant une mesure de défense par rapport à la menace soviétique. Ainsi, lorsque les États-Unis envahirent Grenade, en 1983, le président du comité conjoint des chefs d'état-major expliqua que, dans l'éventualité d'une attaque soviétique contre l'Europe occidentale, une Grenade hostile pourrait bloquer les approvisionnements pétroliers des Caraïbes vers l'Europe occidentale, si bien que nous n'aurions plus été en mesure de défendre nos alliés assiégés. Maintenant, cela peut paraître cocasse, mais ce genre d'histoire contribue à mobiliser le soutien populaire en faveur de l'agression, de la terreur et de la subversion.

On justifia l'attaque contre le Nicaragua en prétendant que si nous ne «les» arrêtions pas chez eux, ils allaient déborder de ce côté-ci de la frontière, à Harlingen, Texas — qui n'est qu'à deux jours de route. (Pour les gens informés, il y avait des variantes plus sophistiquées, tout aussi plausibles.)

En ce qui concerne les affaires américaines, le Nicaragua pourrait bien disparaître sans que personne ne s'en aperçoive. Même chose pour le Salvador. Mais ces deux pays ont été victimes d'agressions meurtrières de la part des États-Unis, au prix de centaines de milliers de morts et de plusieurs milliards de dollars.

Il y a une raison à cela. Plus un pays est faible et pauvre, plus il est dangereux «en tant qu'exemple». Si un pays pauvre et minuscule comme Grenade peut réussir à procurer une existence plus décente à son peuple, un autre pays possédant davantage de ressources pourrait demander : « Pourquoi pas nous ? »

Il en fut ainsi même en Indochine, une contrée vaste et dotée de ressources importantes. Bien qu'Eisenhower et ses conseillers aient fait beaucoup de tapage autour du riz, de l'étain et du caoutchouc, ils craignaient vraiment, au fond, que si le peuple d'Indochine acquérait indépendance et justice, le peuple de Thaïlande voudrait l'imiter ; et si cela venait à marcher, ce serait au tour de la Malaisie d'essayer et, peu après, de l'Indonésie de se lancer elle aussi sur la voie de l'indépendance, de sorte qu'une partie importante de la Grande zone serait alors perdue.

Si vous souhaitez un système mondial subordonné aux besoins des investisseurs américains, vous ne pouvez laisser des pièces s'en détacher. Il est frappant de constater avec quel aplomb de telles choses sont affirmées dans les documents d'archives — et parfois même dans les documents publics. Prenez le cas du Chili à l'époque d'Allende.

Le Chili est un pays vaste et possède de nombreuses ressources naturelles, mais, encore là, les États-Unis ne se seraient pas effondrés si le Chili était devenu indépendant. Pourquoi nous faisions-nous tant de souci à son sujet ? Selon Kissinger, le Chili était un « virus » qui aurait « infecté » la région, avec des conséquences qui se feraient sentir jusqu'en Italie.

Malgré 40 années de subversion dirigée par la CIA, l'Italie possède toujours un mouvement ouvrier. Qu'un gouvernement social-démocrate réussisse au Chili serait un mauvais message à l'adresse des électeurs italiens. Supposez qu'il leur vienne des idées bizarres, comme celle de prendre le contrôle de leur propre pays, et qu'ils fassent revivre les mouvements de travailleurs que la CIA a sapés au cours des années 1940.

Les planificateurs américains, depuis le secrétaire d'État Dean Acheson à la fin des années 1940 jusqu'à ceux d'aujourd'hui, ont prévenu qu'« une pomme pourrie pouvait gâter le panier ». Le danger, c'est que la « pourriture » — le développement social et économique — pourrait se répandre.

Pour le grand public, cette « théorie de la pomme pourrie » est appelée « théorie du domino ». La version utilisée pour effrayer les citoyens parle de Ho Chi Minh embarquant dans un canoë pour se retrouver en Californie, etc. Peut-être certains dirigeants américains croient-ils cette absurdité — c'est bien possible — mais sûrement pas les planificateurs qui, eux, sont des gens qui raisonnent. Ils comprennent que la véritable menace est « le bon exemple ».

Parfois, le problème est expliqué avec beaucoup de clarté. Au moment où les États-Unis se préparaient à renverser la démocratie guatémaltèque, en 1954, un porte-parole officiel du secrétariat d'État fit remarquer :

> Le Guatemala est devenu une menace grandissante pour la stabilité du Honduras et du Salvador. Sa réforme agraire est une puissante arme de propagande ; son vaste programme social d'aide aux ouvriers et aux paysans dans leur lutte victorieuse contre les classes supérieures et les grandes entreprises étrangères exerce un attrait puissant sur les populations de ses voisins d'Amérique centrale où prévalent des conditions similaires.

En d'autres termes, ce que les États-Unis veulent, c'est la « stabilité », c'est-à-dire la sécurité pour les « classes supérieures et les grandes entreprises étrangères ». Si ce but peut être atteint par des moyens démocratiques officiels, tant mieux. Sinon, la « menace pour la stabilité » que représente « un bon exemple » doit être étouffée avant que le virus ne contamine les autres.

C'est pourquoi même la particule la plus infime constitue une telle menace, et il se peut donc qu'il faille l'écraser.

Le monde à trois côtés

À partir du début des années 1970, le monde a dérivé vers ce que l'on appelle le « tripolarisme » ou le « trilatéralisme » — trois blocs économiques principaux qui sont en lutte l'un contre l'autre. Le premier bloc est fondé sur le yen, avec le Japon comme centre et les anciennes colonies japonaises à la périphérie.

Pendant les années 1930 et 1940, le Japon l'avait surnommé la « sphère de coprospérité de la grande Asie orientale ». Le conflit avec les États-Unis naquit de la tentative du Japon d'exercer dans sa zone le même genre de contrôle que celui exercé par les puissances occidentales dans la leur. Mais après la guerre, nous leur avons reconstruit leur région. À l'époque, que le Japon l'exploite ne nous posait pas de problème — à la condition qu'il le fasse sous notre pouvoir suprême.

On a écrit beaucoup d'absurdités voulant que si le Japon est devenu un compétiteur de première importance, cela prouve à quel point nous nous sommes montrés dignes et avons aidé nos ennemis à se relever. Les véritables choix de ligne de conduite étaient cependant plus limités. Le premier était de rebâtir l'Empire japonais, mais en le soumettant désormais à notre contrôle absolu (ce fut cette ligne de conduite qui fut choisie).

L'autre choix était de nous tenir en dehors de la région et de permettre au Japon et au reste de l'Asie de suivre leurs voies indépendantistes, à l'extérieur de la Grande zone sous contrôle américain. C'était impensable.

En outre, après la Seconde Guerre mondiale, le Japon n'était pas considéré comme un concurrent possible, pas même dans un avenir lointain. On supposait bien qu'un jour ou l'autre, le Japon serait capable de produire des colifichets, mais rien de plus. (Il y avait une forte connotation raciste dans ces prévisions.) Si le Japon se rétablit, ce fut en grande partie grâce à la guerre de Corée puis à celle du Viêt-nam, qui stimulèrent sa production et lui rapportèrent des bénéfices énormes.

Quelques-uns des planificateurs de l'immédiat après-guerre voyaient plus loin. George Kennan était du nombre. Il proposa que les États-Unis encouragent le Japon à s'industrialiser, mais avec une restriction : les États-Unis contrôleraient ses importations de pétrole. Kennan affirma que cela nous donnerait un « pouvoir de *veto* » sur le Japon au cas où il sortirait de la ligne. Les États-Unis suivirent ce conseil, gardant le contrôle des importations pétrolières et des raffineries du Japon. Jusqu'au début des années 1970, le Japon ne contrôlait toujours pas plus de 10 pour cent de ses propres approvisionnements en pétrole.

C'est une des principales raisons pour lesquelles les États-Unis se sont intéressés de si près au pétrole du Moyen-Orient. Nous n'avions pas besoin de ce pétrole pour nous-mêmes : jusqu'en 1968, l'Amérique du Nord occupait le premier rang parmi les producteurs mondiaux. Mais nous voulions à tout prix garder notre emprise sur ce levier de la puissance mondiale, et nous assurer que les bénéfices coulent en tout premier lieu vers les États-Unis et la Grande-Bretagne.

C'est pourquoi nous avons maintenu des bases militaires aux Philippines. Elles font partie d'un système global d'intervention dirigé vers le Moyen-Orient et destiné à nous assurer que des forces indigènes ne succomberont pas à la tentation de l'« ultranationalisme ».

Le second bloc concurrentiel sérieux se situe en Europe et est dominé par l'Allemagne. Il fait un grand pas en avant avec la consolidation du Marché commun européen. L'économie de l'Europe est plus importante que celle des États-Unis, sa population est plus nombreuse et plus instruite.

Si jamais l'Europe parvient à s'unifier et à constituer une puissance à part entière, les États-Unis pourraient devenir une puissance de second ordre. C'est d'autant plus vraisemblable que sous la direction des Allemands, l'Europe prend les devants en réintégrant l'Europe de l'Est dans son rôle traditionnel de colonie économique et de zone essentiellement tiers-mondiste.

Le troisième bloc est dominé par les États-Unis et gravite autour du dollar. Récemment, il s'est étendu au Canada, notre principal partenaire commercial, et il va bientôt inclure le Mexique[1] ainsi que d'autres pays de l'hémisphère, grâce aux «accords de libre-échange», destinés en tout premier lieu à favoriser les intérêts des investisseurs américains et ceux de leurs associés.

Nous avons toujours supposé que l'Amérique latine nous appartient de droit. Comme Henry Stimson (secrétaire à la Guerre sous Roosevelt et Taft, et secrétaire d'État sous Hoover) l'avait formulé un jour, c'est «notre petite région, tout près d'ici, et elle n'a jamais ennuyé personne». Consolider le bloc axé sur le dollar signifie que la politique visant à contrecarrer le développement de l'indépendance en Amérique centrale et dans les Antilles n'est pas près de cesser.

À moins que vous ne voyiez clair dans nos combats acharnés contre nos rivaux industriels et le tiers monde, la politique étrangère des États-Unis semble être une série d'erreurs hasardeuses, de contradictions et de gestes

---

1. C'est maintenant chose faite.(NDLR)

désordonnés. En fait, nos dirigeants ont plutôt bien réussi dans les tâches qu'ils se sont assignées, et ce, dans les limites du possible.

CHAPITRE II

Dévastations à l'étranger

Notre politique de bon voisinage

À quel point les préceptes avancés par George Kennan ont-ils été suivis? Nous sommes-nous parfaitement mis à l'abri de tout souci d'«objectifs vagues et irréalistes tels que les droits de la personne, l'élévation du niveau de vie et la démocratisation»? J'ai déjà discuté de notre «engagement envers la démocratie», mais qu'en est-il des deux autres points?

Penchons-nous sur l'Amérique latine, et examinons tout d'abord la question des droits de la personne. Une étude de Lars Schoultz, l'éminent spécialiste des droits de la personne de cette partie du monde, montre que «l'aide américaine a eu tendance à affluer dans des proportions nettement plus grandes vers les gouvernements latino-américains qui torturent leurs citoyens». Cela ne dépend nullement de la quantité d'aide dont un pays a *réellement* besoin, mais uniquement de sa disposition à servir les intérêts des possédants et des privilégiés.

Des études plus étendues réalisées par l'économiste Edward S. Herman révèlent qu'il existe une corrélation étroite, à l'échelle mondiale, entre la torture et l'aide américaine, et elles en fournissent l'explication : les deux sont liées de façon indépendante à l'amélioration du climat nécessaire au bon déroulement des opérations commerciales. Comparés à ce principe moral de premier plan, des sujets comme la torture et les tueries se diluent dans l'insignifiance.

Qu'en est-il de l'élévation du niveau de vie ? C'est à cette question que se serait attaquée, paraît-il, l'*Alliance pour le progrès* du président Kennedy, mais le modèle de développement imposé fut axé prioritairement sur les besoins des investisseurs américains. Il fortifia et étendit le système déjà en vigueur selon lequel les Latino-Américains sont forcés de produire des récoltes destinées à l'exportation et de réduire les cultures de subsistance comme le maïs et les haricots destinés à la consommation locale. Avec les programmes de l'*Alliance*, par exemple, la production de bœuf connut un accroissement, tandis que sa consommation interne diminua.

Ce modèle de développement basé sur les exportations agricoles produit habituellement un « miracle économique » grâce auquel le PNB s'accroît, alors que la grande majorité de la population meurt de faim. Lorsque vous adoptez une telle approche, l'opposition populaire augmente inévitablement, et vous l'éliminez ensuite par la terreur et la torture.

(L'utilisation de la terreur est profondément ancrée dans notre caractère. En 1818 déjà, John Quincy Adams louait l'« efficacité salutaire » de la terreur dans les rapports avec « les hordes bigarrées d'Indiens et de Nègres sans lois ». Il écrivait cela pour justifier les déchaînements d'Andrew Jackson en Floride, qui anéantirent pratiquement la population indigène et assurèrent le contrôle de la province espagnole aux américains, et il impressionna beaucoup Thomas Jefferson et les autres par sa sagesse.)

La première étape consiste à utiliser les forces de police. Elles jouent un rôle crucial, vu qu'elles sont capables de détecter le mécontentement très tôt et de l'éliminer avant qu'il soit nécessaire de faire appel à une « intervention chirurgicale majeure » (comme la nomment les documents de planification). Si ce genre d'intervention s'avère indispensable, nous la confions aux militaires. Lorsque nous ne sommes plus en mesure de contrôler l'armée d'un pays d'Amérique latine — spécialement dans la région des Antilles et de l'Amérique centrale — il est alors temps de renverser le gouvernement.

Certains pays ont tenté d'infléchir le processus. Ce fut le cas du Guatemala sous les gouvernements démocratiques capitalistes d'Arévalo et d'Arbenz, et de la République dominicaine sous le régime démocratique capitaliste de Bosch. Tous ces pays devinrent la cible de l'hostilité et de la violence des États-Unis.

Pour la seconde étape, on utilise les militaires. Les États-Unis ont toujours tenté d'établir des relations avec les militaires des pays étrangers, parce que c'est une des manières les plus efficaces de renverser un gouvernement désireux d'échapper à notre contrôle. C'est ainsi que furent jetées les bases des coups d'État militaires au Chili, en 1973, et en Indonésie, en 1965.

Avant ces coups d'État, nous étions très hostiles à l'égard des gouvernements chilien et indonésien, mais nous continuions néanmoins à leur envoyer des armes. Gardez de bonnes relations avec les bons officiers et ils renverseront le gouvernement pour vous. Ce fut le même genre de raisonnement qui, dès le début des années 1980, motiva la livraison massive d'armes américaines à l'Iran via Israël, selon les dires des officiers supérieurs israéliens impliqués dans l'affaire, et ce sont des faits qui étaient déjà bien connus en 1982, longtemps avant les prises d'otages.

Sous l'administration Kennedy, la mission des militaires latino-américains sous les ordres des États-Unis passa de la « défense de l'hémisphère » à la « sécurité interne » (ce qui signifie en gros la guerre contre votre propre population). Cette décision fatidique conduisit à la « complicité directe » (des Américains) dans « des méthodes dignes des escadrons d'extermination de Heinrich Himmler », selon le jugement rétrospectif de Charles Maechling, qui fut chargé de planifier la contre-insurrection entre 1961 et 1966.

L'administration Kennedy prépara la voie au coup d'État militaire au Brésil, en 1964, aidant à renverser la démocratie brésilienne, qui devenait trop indépendante. Les États-Unis fournirent un soutien enthousiaste au coup d'État, tandis que ses chefs militaires installaient un régime de sécurité nationale de type néo-nazi fondé sur la torture, la répression, etc. Cela inspira une multitude d'initiatives similaires en Argentine, au Chili et partout dans l'hémisphère, à partir du milieu des années 1960 jusque dans les années 1980 — une période extrêmement sanglante.

(D'un point de vue juridique, je crois qu'il y a là des fondements très solides pour une mise en accusation de n'importe quel président américain depuis la Seconde Guerre mondiale. Les uns ont été de véritables criminels de guerre, au sens propre du terme, et tous sans exception ont été impliqués dans des crimes graves contre l'humanité.)

Le militaire procède de façon typique : il provoque d'abord un désastre économique, en suivant généralement les prescriptions des conseillers américains, et ensuite, il décide de confier l'affaire à des civils qui se chargeront de l'administration. Le contrôle militaire ouvert n'est plus nécessaire dès que de nouveaux moyens deviennent disponibles — par exemple, des contrôles exercés par le biais du Fonds monétaire international (FMI) (qui, comme la Banque mondiale, prête aux nations du tiers monde des fonds fournis en grande partie par les puissances industrielles).

En échange de ses prêts, le FMI impose la « libéralisation » : une économie ouverte à la pénétration et au contrôle étrangers, de sévères coupes dans les services destinés à l'ensemble de la population, etc. Ces mesures renforcent encore davantage le pouvoir des classes possédantes et des investisseurs étrangers (ce qu'on appelle la « stabilité ») et consolident les sociétés classiques à deux niveaux du tiers monde — d'un côté les gens très riches (et la classe professionnelle relativement à l'aise qui les sert) et de l'autre, une énorme masse de gens appauvris et opprimés.

L'endettement et le chaos économique laissés par les militaires garantissent assez bien le respect des règles imposées par le FMI — à moins que des forces populaires n'essaient d'entrer dans l'arène politique, auquel cas les militaires peuvent être forcés de réinstaurer la « stabilité ».

Le Brésil est un cas instructif. Il est doté de tant de ressources naturelles qu'il devrait être l'un des pays les plus riches de la planète, et il bénéficie également d'un important développement industriel. Mais, grâce en grande partie au coup d'État de 1964 et au « miracle économique » tellement encensé qui s'ensuivit (pour ne rien dire de la torture, des assassinats et des autres moyens de « contrôle de la population »), la situation actuelle de nombreux Brésiliens se trouve probablement sur un pied d'égalité avec celle de l'Éthiopie — et beaucoup plus grave, par exemple, qu'en Europe de l'Est.

Le ministère brésilien de l'Éducation rapporte que plus d'un tiers du budget de l'éducation va aux repas scolaires, parce que la plupart des étudiants des écoles publiques sont nourris par l'école ou ne mangent pas du tout.

Selon le magazine *South* (un magazine d'affaires spécialisé dans le tiers monde), le Brésil a un taux de mortalité infantile plus élevé que celui du Sri Lanka. Un tiers de sa population vit sous le seuil de pauvreté et « sept millions d'enfants abandonnés mendient, volent et reniflent de la colle dans les rues. Pour des dizaines de millions de personnes, la maison, c'est une cabane dans un bidonville [...] ou, de plus en plus fréquemment, une place sous un pont. »

C'est cela, le Brésil, l'un des pays les plus riches de la planète sur le plan des ressources naturelles.

La situation est semblable dans toute l'Amérique latine. Rien qu'en Amérique centrale, le nombre de personnes assassinées par des forces soutenues par les Américains depuis la fin des années 1970 s'élève à environ 200 000 et les mouvements populaires qui combattaient pour la démocratie et des réformes sociales ont été décimés. Ces réalisations ont valu aux États-Unis d'être qualifiés de « source d'inspiration pour le triomphe de la démocratie de notre époque », pour reprendre les termes élogieux du journal « libéral » *New Republic*. Tom Wolfe nous raconte que les années 1980 furent « un des moments merveilleux que l'humanité a connus ». Comme disait Staline, nous sommes « étourdis par le succès ».

La crucifixion du Salvador

Pendant de nombreuses années, répression, torture et assassinats furent perpétrés au Salvador par des dictateurs installés et soutenus par notre gouvernement. Ici, c'est une question qui ne suscite pas le moindre intérêt. L'affaire ne fut pratiquement jamais mentionnée dans la presse. À la fin des années 1970, cependant, le gouvernement américain commença à s'inquiéter d'une chose ou deux.

La première, c'était que Somoza, le dictateur du Nicaragua, perdait le contrôle de la situation. Les États-Unis risquaient de perdre une base de premier plan pour leurs déploiements de forces dans la région. Mais un second danger menaçait davantage. Au Salvador, pendant les années 1970, on assista au développement de ce qu'on appela des « organisations populaires » — associations, coopératives et syndicats de paysans, groupes d'études bibliques affiliés à des Églises et se transformant progressivement en groupes d'entraide, etc. Cela fit surgir la menace de la démocratie.

En février 1980, l'archevêque du Salvador, Oscar Romero, envoya une lettre au président Carter le suppliant de ne pas envoyer d'aide militaire à la junte qui dirigeait le pays. Il ajoutait qu'une telle aide serait utilisée pour « aggraver l'injustice et la répression contre les organisations populaires » qui luttaient « pour le respect des droits humains les plus élémentaires ». (Cela ne risquait pas de faire un *scoop* à Washington, inutile de le dire).

Quelques semaines plus tard, l'archevêque Romero était assassiné alors qu'il disait la messe. Roberto d'Aubuisson, un néo-nazi, est généralement considéré comme le responsable de cet assassinat (ainsi que d'autres atrocités sans nombre). D'Aubuisson était « chef à vie » du Parti ARENA, qui gouverne actuellement le Salvador ; des membres du parti, comme l'actuel président salvadorien Alfredo Cristiani, furent tenus de lui prêter un serment d'allégeance scellé dans le sang.

Dix ans plus tard, des milliers de paysans et de pauvres des villes participèrent à une messe commémorative, de même que de nombreux évêques étrangers, mais les États-Unis brillèrent par leur absence. L'Église salvadorienne proposa cérémonieusement de faire canoniser Romero.

Tout ceci ne souleva guère d'échos dans le pays qui finançait et entraînait les assassins de Romero. Le *New York Times*, le « journal qui sert de source documentaire », n'avait pas publié d'éditorial sur l'assassinat lorsqu'il avait eu lieu ni dans les années qui suivirent, et il ne publia ni éditorial ni communiqué lors de la commémoration.

Le 7 mars 1980, deux semaines avant l'assassinat, l'état de siège avait été décrété au Salvador, et la guerre contre la population avait commencé en force (avec un soutien et un engagement permanents de la part des Américains). La première attaque de grande envergure fut un grand massacre sur le Rio Sumpul, une opération militaire coordonnée par les armées honduriennes et salvadoriennes et au cours de laquelle 600 personnes au moins furent massacrées. Des enfants furent coupés en morceaux à la machette, des femmes furent torturées et noyées. Pendant plusieurs jours après cette tuerie, on retrouva des morceaux de cadavres dans le fleuve. Il y eut sur place des observateurs ecclésiastiques, de sorte que les informations purent s'échapper tout de suite, mais les médias américains qui font partie du courant dominant n'estimèrent pas que ces faits valaient la peine d'être mentionnés.

Les principales victimes de cette guerre furent des paysans, de même que des syndicalistes, des étudiants, des prêtres et tous ceux qui étaient soupçonnés de travailler pour les intérêts du peuple. La dernière année du mandat de Carter, en 1980, le tribut à la mort atteignait environ 10 000 personnes, pour grimper jusqu'à environ 13 000 en 1981, lorsque l'administration Reagan accéda au pouvoir.

En octobre 1980, le nouvel archevêque condamna « la guerre d'extermination et le génocide contre une population civile sans défense » perpétrés par les forces de sécurité. Deux mois plus tard, ces dernières furent applaudies pour avoir « courageusement assisté le peuple dans sa lutte contre la subversion » par le chouchou des États-Unis, le « modéré » José Napoleon Duarte, qui venait d'être nommé président civil de la junte.

Le rôle du « modéré » Duarte fut de fournir une « feuille de vigne » aux dirigeants militaires et de leur garantir un apport continu de fonds américains après que leurs forces armées eurent violé et assassiné quatre religieuses américaines. Ici, cela avait quand même soulevé quelques protestations : massacrer des Salvadoriens est une chose, mais violer et tuer des nonnes américaines constitue vraiment une gaffe au niveau des relations publiques. Les médias détournèrent l'histoire et en minimisèrent les faits, suivant l'exemple de l'administration Carter et de sa commission d'enquête.

Dès qu'elle fut au pouvoir, l'administration Reagan alla beaucoup plus loin, en cherchant à justifier les atrocités. Ce fut le cas notamment du secrétaire d'État Alexander Haig et de l'ambassadrice aux Nations unies, Jeane Kirkpatrick. On décida néanmoins, quelques années plus tard, d'organiser un grand procès, tout en prenant bien soin de disculper la junte assassine — et, naturellement, son bailleur de fonds.

Les journaux indépendants du Salvador, qui auraient été en mesure de rapporter ces atrocités, avaient été détruits. Même s'ils appartenaient au courant dominant et favorisaient les affaires, ils étaient encore trop indisciplinés au goût des militaires. On résolut le problème en 1980-1981, lorsque le rédacteur en chef de l'un de ces journaux fut assassiné par les forces de sécurité ; l'autre s'enfuit en exil. Comme d'habitude, ces événements furent jugés trop anodins pour valoir plus de quelques mots dans les journaux américains.

En novembre 1989, six jésuites, ainsi que leur cuisinier et sa fille, furent assassinés par l'armée. La même semaine, au moins 28 autres civils salvadoriens furent également assassinés. Parmi eux se trouvaient le chef d'un syndicat important, la dirigeante de l'organisation des étudiantes, neuf membres d'une coopérative agricole autochtone et dix étudiants d'université.

Les médias firent circuler un récit du correspondant de l'*Associated Press* (AP), Douglas Grant Mine, rapportant comment des soldats avaient pénétré dans un quartier ouvrier de San Salvador, la capitale, avaient capturé six hommes, y avaient ajouté un garçon de 14 ans, pour faire bonne mesure, les avaient ensuite tous alignés contre un mur et les avaient abattus. Ils « n'étaient pas des prêtres ni des militants en faveur des droits de la personne », écrivit Mine, « de sorte que leur mort passa largement inaperçue » — tout comme son anecdote.

Les jésuites furent assassinés par le bataillon *Atlacatl*, un corps d'élite créé, entraîné et équipé par les États-Unis. Il fut formé en mars 1981, lorsque 15 spécialistes de la contre-insurrection furent envoyés au Salvador, frais émoulus de l'école de l'armée américaine des Forces spéciales. Dès le début, ce bataillon fut engagé dans des opérations d'assassinats massifs. Un instructeur américain décrivait ses soldats comme étant « particulièrement féroces[...] Nous avons toujours éprouvé les pires difficultés à obtenir (d'eux) qu'ils ramènent des prisonniers au lieu de se contenter de ramener leurs oreilles. »

En décembre 1981, ce même bataillon prit part à une opération au cours de laquelle un millier de civils furent liquidés dans une orgie de meurtres, de viols et d'incendies.

Plus tard, il fut impliqué dans le bombardement de villages et l'assassinat de centaines de civils, par balles, par noyade ou autres méthodes. La grande majorité des victimes étaient des femmes, des enfants et des vieillards.

Peu de temps avant d'assassiner les jésuites, le bataillon avait été entraîné par les Forces spéciales américaines. Ceci fut une constante tout au long de son existence — certains de ses pires massacres furent perpétrés lorsque ses membres étaient encore frais émoulus des centres d'entraînement américains.

Dans la « démocratie encore jeune » qu'était le Salvador, on ramassait des adolescents d'à peine 13 ans au cours d'opérations de ratissage des bidonvilles et on les obligeait à devenir des soldats. On les endoctrinait à l'aide de rituels empruntés aux SS nazis, dans lesquels figuraient brutalités et viols, afin de les préparer à des tueries souvent à connotation sexuelle et satanique.

La nature de l'entraînement de l'armée salvadorienne fut décrite par un déserteur qui reçut l'asile politique au Texas en 1990, bien que le secrétariat d'État eût introduit une requête pour qu'il fût renvoyé au Salvador. (Son nom fut gardé secret par la Cour afin de le protéger des escadrons de la mort salvadoriens.)

Selon ce déserteur, on obligeait les jeunes recrues à tuer des chiens et des vautours en les mordant à la gorge et en arrachant leur tête : on les forçait à regarder comment les soldats torturaient et tuaient les dissidents présumés — arrachant leurs ongles, coupant leurs têtes, mettant leurs corps en pièces et jouant avec les bras arrachés.

Dans une autre affaire, un membre reconnu d'un escadron de la mort salvadorien qui fut associé au bataillon *Atlacatl,* César Vielman Joya Martinez, raconta en détail la participation des conseillers américains et du gouvernement salvadorien dans les activités des escadrons de la mort. L'administration Bush mit tout en œuvre pour le réduire au silence et finit par le renvoyer par bateau au Salvador, où il a probablement été liquidé, en dépit des appels des organisations des droits de la personne et des requêtes du Congrès demandant que son témoignage fût entendu. (Le témoin principal dans l'assassinat des jésuites connut un traitement similaire.)

Les séquelles de l'entraînement des militaires salvadoriens sont rapportées à grand renfort de détails dans le journal jésuite *America* par Daniel Santiago, un prêtre catholique travaillant au Salvador. Il raconte l'histoire d'une paysanne qui, un jour, rentra chez elle et trouva ses trois enfants, sa mère et sa sœur assis autour de la table, décapités; chacun avait sa tête soigneusement placée sur la table en face de son corps, et les mains disposées dessus «comme si chaque corps caressait sa propre tête».

Les assassins, qui appartenaient à la Garde nationale salvadorienne, avaient eu du mal à maintenir en place la tête d'un bébé de 18 mois, de sorte qu'ils y clouèrent les mains. Un grand bassin en plastique rempli de sang était disposé avec goût au centre de la table.

Selon le père Santiago, des scènes de ce genre ne sont pas rares.

> Les escadrons de la mort ne se contentent pas de tuer les gens, au Salvador; ils les décapitent et placent ensuite leurs têtes sur des piques afin d'orner le paysage. La Police du Trésor salvadorienne ne fait pas qu'étriper les hommes; elle leur arrache les parties génitales et elle les leur fourre dans la bouche. La Garde nationale ne se limite pas à violer les femmes salvadoriennes; elle leur enlève l'utérus et en recouvre leur visage. Il ne suffit pas que l'on tue des enfants; on les traîne sur des barbelés jusqu'à ce que leur chair se détache des os, et pendant ce temps-là, on oblige les parents à assister au spectacle.

Le père Santiago poursuit en insistant sur le fait que ce genre de violence a considérablement augmenté lorsque l'Église commença à former des associations de paysans et des groupes d'entraide dans le but d'aider les pauvres à s'organiser.

Dans l'ensemble, notre approche au Salvador a été un succès. Les organisations populaires ont été décimées, exactement comme l'archevêque Romero l'avait prédit. Des dizaines de milliers de personnes ont été massacrées et plus d'un million sont devenues des réfugiés. C'est un des épisodes les plus sordides de l'histoire des États-Unis — et pourtant la concurrence ne manque pas.

Donner une leçon au Nicaragua

Il n'y a pas que le Salvador qui ait été ignoré des principaux courants des médias américains au cours des années 1970. Dans les dix années qui précédèrent le renversement du dictateur nicaraguayen Anastasio Somoza, en 1979, la télévision américaine — toutes chaînes confondues — consacra exactement, en tout et pour tout, une heure au Nicaragua, et ce fut uniquement pour parler du tremblement de terre de Managua, en 1972.

Entre 1960 et 1978, le *New York Times* publia trois éditoriaux sur le Nicaragua. Ce n'est pas qu'il ne s'y passait rien — c'est uniquement parce que ce qui s'y passait n'avait rien de remarquable. Le Nicaragua ne présentait absolument aucun intérêt, aussi longtemps que le pouvoir tyrannique de Somoza n'était pas mis en question.

Lorsqu'il fut menacé par les Sandinistes, à la fin des années 1970, les États-Unis essayèrent d'abord d'instaurer ce qu'ils appelèrent le « somozisme sans Somoza » — c'est-à-dire qu'ils tentèrent de maintenir intact tout le système corrompu, mais avec quelqu'un d'autre au sommet. Cela ne fonctionna pas, de sorte que le président Carter essaya de maintenir la Garde nationale de Somoza en place comme assise du pouvoir américain.

La Garde nationale avait toujours été remarquablement brutale et sadique. En juin 1979, elle se livra à des atrocités sans nombre dans la guerre contre les Sandinistes, bombardant des banlieues résidentielles de Managua, et tuant des dizaines de milliers de personnes. À ce moment, l'ambassadeur américain câbla à la Maison-Blanche qu'il serait « mal inspiré » de demander à la Garde nationale d'annuler le bombardement, parce que cela pouvait nuire à la stratégie américaine qui était de la garder au pouvoir tout en continuant à exclure les Sandinistes.

Notre ambassadeur à l'Organisation des États américains (OEA) se déclara également partisan du « somozisme sans Somoza », mais l'Organisation rejeta la proposition sans ambages. Quelques jours plus tard, Somoza s'envolait pour Miami avec ce qu'il restait du trésor national nicaraguayen, et la Garde s'effondra.

L'administration Carter évacua les commandants de la Garde dans des avions portant des insignes de la Croix rouge (un crime de guerre, en fait), et commença à reformer la Garde aux frontières du Nicaragua. Elle utilisa également l'Argentine comme mandataire. (À cette époque, l'Argentine était soumise au régime des généraux néo-nazis, mais ceux-ci consentirent à consacrer une petite partie du temps qu'ils passaient à torturer et à assassiner leur propre population, à aider au rétablissement de la Garde — qui allait bientôt être rebaptisée les « *contras* », ou les « combattants de la liberté ».)

Reagan les utilisa pour déclencher une guerre terroriste à grande échelle contre le Nicaragua, la combinant avec une guerre économique qui fut encore plus mortelle. Nous intimidâmes aussi d'autres pays, afin qu'ils n'envoient aucune forme d'aide.

Et pourtant, en dépit des proportions astronomiques de leur soutien militaire, les États-Unis ne furent pas capables de mettre sur pied une force militaire valable au Nicaragua. C'est tout à fait étonnant, si on y réfléchit bien. Aucune guérilla réelle dans aucun endroit du monde n'a jamais disposé de moyens comparables, même de loin, à ceux que les États-Unis fournirent aux *contras*. Il serait sans doute possible de déclencher un soulèvement de guérilla dans les régions montagneuses des États-Unis, avec des mises de fonds de cet ordre.

Pourquoi les États-Unis se laissèrent-ils aller à de telles extrémités au Nicaragua ?

L'organisation internationale de développement *Oxfam* en donna les vraies raisons. Forte de son expérience de travail acquise dans 76 pays en voie de développement, elle déclara que «le Nicaragua était[...] exceptionnel de par le degré d'engagement de son gouvernement[...] à améliorer les conditions des gens et à encourager leur participation active au processus de développement.»

Des quatre pays d'Amérique centrale où *Oxfam* a eu une présence importante (Salvador, Guatemala, Honduras et Nicaragua), ce n'est qu'au Nicaragua qu'un effort substantiel a été consenti pour s'attaquer aux inégalités dans la répartition des terres et pour développer des services de santé, d'éducation et d'agriculture au bénéfice des familles paysannes démunies.

D'autres organismes allèrent dans ce sens. Au début des années 1980, la Banque mondiale se vanta de ce que ses projets «au Nicaragua avaient rencontré un succès extraordinaire dans certains secteurs, et qu'ils avaient été meilleurs que partout ailleurs dans le monde». En 1993, la Banque de développement inter-américaine concluait que « le Nicaragua avait fait des progrès remarquables dans le secteur social, ce qui jetait les bases d'un développement socio-économique durable ».

Le succès des réformes Sandinistes terrifia les planificateurs américains. Ils étaient conscients de ce que — comme l'expliquait José Figueres, le père de la démocratie au Costa Rica — « pour la première fois, le Nicaragua a un gouvernement qui s'intéresse à son peuple ». (Bien que Figueres ait été la figure de proue de la démocratie en Amérique centrale pendant 40 ans, sa perception inacceptable du monde tel qu'il est réellement lui valut d'être censuré par les médias américains.)

La haine suscitée par les Sandinistes parce qu'ils tentaient de diriger les ressources vers les pauvres (et y réussissaient) était vraiment stupéfiante. La quasi-totalité des décideurs politiques américains la partageaient et elle finit presque par se muer en folie furieuse.

Pour en revenir à 1981, un fonctionnaire du secrétariat d'État se vanta de ce que nous pourrions « faire du Nicaragua l'Albanie de l'Amérique centrale » — c'est-à-dire un pays pauvre, isolé et politiquement radical — de sorte que le rêve sandiniste de créer un nouveau modèle politique exemplaire pour l'Amérique latine finirait par s'écrouler.

George Shultz a dit des Sandinistes qu'ils étaient un « cancer, juste ici au bord de notre territoire » et qu'il fallait le détruire. À l'autre bout du spectre politique, un sénateur libéral de premier plan, Alan Cranston, dit que s'il ne s'avérait pas possible de détruire les Sandinistes, alors nous n'avions plus qu'à les laisser « mijoter dans leur propre jus ».

C'est ainsi que les États-Unis lancèrent une attaque sur trois fronts contre le Nicaragua. *Primo*, nous exerçâmes une pression extrême pour forcer la Banque mondiale et la Banque de développement interaméricaine à mettre fin à tous leurs projets et à leur assistance.

Secundo, nous déclenchâmes la guerre des *contras* accompagnée d'une guerre économique illégale destinée à mettre fin à ce qu'*Oxfam* appelait à juste titre « la menace d'un bon exemple ». Les violentes attaques terroristes des *contras* contre des « cibles vulnérables » sous les ordres américains, contribuèrent, avec l'embargo, à tuer tout espoir de développement économique et de réforme sociale. La terreur américaine veilla à ce que le Nicaragua ne puisse démobiliser son armée et consacrer ses ressources pitoyablement pauvres et limitées à réparer les ruines laissées par les dictateurs à la solde des Américains et par les crimes reaganiens.

L'une des correspondantes les plus respectées d'Amérique centrale, Julia Preston (qui collaborait à l'époque au *Boston Globe*), rapporta que « les hauts fonctionnaires avaient exprimé leur satisfaction de voir les *contras* affaiblir les Sandinistes en les forçant à consacrer leurs faibles ressources à la guerre plutôt qu'aux programmes sociaux ». C'est d'une extrême importance, vu que les programmes sociaux se trouvaient au cœur du bon exemple qui aurait pu contaminer d'autres pays de la région et éroder le système américain fondé sur l'exploitation et le vol.

Nous refusâmes même d'envoyer des secours d'urgence. Après le tremblement de terre de 1972, les États-Unis envoyèrent une énorme quantité d'aide au Nicaragua, dont la majeure partie fut subtilisée par notre copain Somoza. En octobre 1988, une catastrophe naturelle encore pire frappa le Nicaragua — l'ouragan Joan. À cette occasion, nous n'envoyâmes pas un sou, parce que si nous l'avions fait, il aurait probablement été versé au peuple, et pas uniquement dans les poches de quelque riche crapule.

Nous fîmes également pression sur nos alliés pour qu'ils envoient le moins d'aide possible.

Cet ouragan dévastateur, avec ses perspectives bienvenues de famine et ses dégâts écologiques de longue durée, épaula nos efforts. Nous voulions que le Nicaragua meure de faim de manière à pouvoir accuser les Sandinistes de mauvaise gestion économique. Parce qu'ils n'étaient pas sous notre contrôle, les Nicaraguayens devaient souffrir et mourir.

Tertio, nous utilisâmes des leurres diplomatiques pour écraser le Nicaragua. Comme Tony Avirgan l'écrivit dans le journal costaricien *Mesoamerica*, «les Sandinistes tombèrent dans un panneau échafaudé par le président costaricien Oscar Arias et les autres présidents d'Amérique centrale, et c'est ce qui leur coûta les élections de février» (1990).

Pour le Nicaragua, le plan de paix d'août 1987 fut une bonne affaire. Avirgan écrivait : ils avanceraient les élections nationales prévues de quelques mois et accepteraient la présence d'observateurs internationaux, comme ce fut le cas en 1984, «en échange de la démobilisation des *contras* et de la fin de la guerre[...]». Le gouvernement nicaraguayen fit ce qu'on lui demandait de faire, conformément au plan de paix, mais personne d'autre n'y accorda la moindre attention.

Arias, la Maison-Blanche et le Congrès n'eurent jamais l'intention de respecter le moindre terme du plan. Les États-Unis triplèrent quasiment les envois aériens d'équipement de la CIA à destination des *contras*. En quelques mois à peine, le plan de paix fut totalement anéanti.

Lors de l'ouverture de la campagne électorale, les États-Unis laissèrent entendre que l'embargo étranglant le pays ainsi que la terreur *contra* seraient maintenus si les Sandinistes gagnaient les élections. Il faut être une espèce de nazi ou de stalinien non réformé pour considérer comme libres et loyales des élections organisées dans de telles conditions. Au sud de la frontière, bien peu succombèrent à de telles illusions.

Si nos *ennemis* faisaient jamais une chose pareille... je vous laisse imaginer la réaction des médias. Le côté amusant de cette histoire, c'est que les Sandinistes obtinrent quand même 40 pour cent des votes, tandis que les gros titres du *New York Times* proclamaient que les États-Unis étaient «unis dans la joie» autour de cette «victoire du *fair-play* américain».

Les réalisations américaines en Amérique centrale ces 15 dernières années sont une tragédie de premier ordre, pas seulement à cause de leur effroyable prix en vies humaines, mais parce qu'une décennie plus tôt, il y avait de réelles perspectives de progrès en direction d'une démocratie sensée et de la satisfaction des besoins humains, avec des succès rapides au Salvador, au Guatemala et au Nicaragua.

Ces efforts auraient pu aboutir et ils auraient constitué une expérience utile pour d'autres pays en proie à des problèmes similaires — naturellement, c'était exactement ce que les planificateurs américains redoutaient. La menace a été écartée avec succès, et peut-être pour toujours.

Transformer le Guatemala en un champ de la mort

Le seul endroit d'Amérique centrale à recevoir un peu de couverture médiatique aux États-Unis avant la révolution sandiniste fut le Guatemala. En 1944, une révolution y renversa un tyran sanguinaire et déboucha sur l'établissement d'un gouvernement démocratique modelé dans les grandes lignes selon le *New Deal* de

Roosevelt. Dans l'interlude démocratique de 10 ans qui suivit, on assista aux prémices d'un développement économique autonome fructueux.

Cela provoqua presque l'hystérie, à Washington. Eisenhower et Dulles prévinrent que «l'autodéfense et l'autoprotection» des États-Unis étaient en jeu à moins que l'on n'exterminât le virus. Les rapports des services de renseignements américains étaient très candides au sujet des dangers posés par la démocratie capitaliste du Guatemala.

Un mémorandum de la CIA rédigé en 1952 décrivait la situation au Guatemala comme étant «hostile aux intérêts américains» à cause de «l'influence communiste[...] fondée sur un plaidoyer militant en faveur de réformes sociales et de politiques nationalistes». Le mémorandum mettait en garde contre le fait que le Guatemala avait «récemment augmenté substantiellement son soutien aux activités communistes et antiaméricaines des autres pays d'Amérique centrale». Comme principal exemple, on citait un soi-disant don de 300 000 dollars à José Figueres.

Comme on l'a dit plus haut, José Figueres était le fondateur de la démocratie costaricienne et c'était une figure démocratique de proue en Amérique centrale. Bien qu'il coopérât de façon enthousiaste avec la CIA, qu'il eût surnommé les États-Unis «le porte-étendard de notre cause» et qu'il fût considéré par l'ambassadeur américain au Costa Rica comme «la meilleure agence de publicité que la *United Fruit Company* pouvait trouver en Amérique latine», Figueres avait des tendances indépendantistes et, par conséquent, on ne l'estimait pas aussi fiable que Somoza ou d'autres gangsters à notre solde.

Dans le discours politique des États-Unis, cela pouvait faire de lui un «communiste». Donc, si le Guatemala lui donnait de l'argent pour l'aider à remporter des élections, cela prouvait que le Guatemala soutenait les communistes.

Pis encore, poursuivait le même mémorandum de la CIA, « les lignes de conduite radicales et nationalistes » du gouvernement capitaliste démocratique, y compris « la persécution des intérêts économiques étrangers, spécialement ceux de la *United Fruit Company*», ont rallié « le soutien ou la reconnaissance de presque tous les Guatémaltèques ». Le gouvernement faisait en sorte « de mobiliser la paysannerie jusqu'alors politiquement inerte » tout en sapant le pouvoir des grands propriétaires terriens.

En outre, la révolution de 1944 avait suscité « un important mouvement national pour libérer le Guatemala de la dictature militaire, de l'arriération sociale et du « colonialisme économique »», qui avait été l'image de marque du passé » ; elle « inspirait la loyauté et se conformait aux intérêts personnels des Guatémaltèques les plus politiquement conscients ». Les choses empirèrent encore après qu'une réforme agraire couronnée de succès eut commencé à menacer la « stabilité » des pays voisins où les peuples qui souffraient ne manquèrent pas de s'y intéresser.

En bref, la situation était assez horrible. De sorte que la CIA réalisa un coup fumant. Le Guatemala fut transformé en l'abattoir qu'il est toujours aujourd'hui, avec des interventions américaines régulières chaque fois que les choses menacent de sortir des limites tolérées.

À la fin des années 1970, les atrocités dépassaient encore la terrible norme, et elles suscitèrent des protestations verbales. Et pourtant, contrairement à ce que croient de nombreuses personnes, l'aide militaire au Guatemala continua à un niveau quasi égal sous l'administration des « droits de la personne » de Carter. Nos alliés ont été enrôlés dans la cause, eux aussi — notamment Israël, que l'on considère comme un « atout stratégique », en partie à cause de son habileté à organiser le terrorisme d'État.

Sous Reagan, le soutien à un quasi-génocide au Guatemala devint complètement hystérique. Le plus abject des Hitler guatémaltèques que nous y ayons soutenus, Rios Montt, fut encensé par Reagan comme un homme totalement dévoué à la cause de la démocratie. Au début des années 1980, les amis de Washington massacrèrent des dizaines de milliers de Guatémaltèques, principalement des Amérindiens des hautes terres, et d'autres furent torturés et violés en nombres incalculables.

En 1988, un journal guatémaltèque récemment fondé et appelé *La Epoca* fut détruit dans une explosion provoquée par les terroristes gouvernementaux. À l'époque, nos médias furent rudement mis à l'épreuve par le fait que le journal nicaraguayen fondé par les Américains, *La Prensa*, qui en appelait ouvertement au renversement du gouvernement et qui soutenait l'armée de terroristes dirigée par les États-Unis, avait été obligé de suspendre la publication de quelques numéros à cause d'une pénurie de papier. Cela aboutit à un flot d'insultes et de propos scandaleux dans le *Washington Post* et partout ailleurs, à l'encontre du totalitarisme sandiniste.

Par contre, la destruction de *La Epoca* ne suscita pas le moindre intérêt et ne fut pas commentée chez nous, bien que le fait eût été bien connu des journalistes américains. Naturellement, il ne fallait pas escompter que les médias américains mentionnent que les forces de sécurité parrainées par les États-Unis avaient réduit au silence la seule petite voix indépendante du Guatemala qui avait tenté, quelques semaines plus tôt, de se faire entendre.

Un an plus tard, un journaliste de *La Epoca*, Julio Godoy, qui s'était enfui après l'explosion, rentra au Guatemala pour un bref séjour. Lorsqu'il retourna aux États-Unis, il compara la situation en Amérique centrale et celle de l'Europe de l'Est. Les Européens de l'Est sont «plus chanceux que les gens d'Amérique centrale», écrivit Godoy, parce que, alors que le gouvernement imposé par Moscou à Prague dégradait et humiliait les réformateurs, le gouvernement guatémaltèque mis en place par Washington les liquidait. C'est ce qu'il fait encore actuellement, dans un véritable génocide qui a fait plus de 150 000 victimes sous ce qu'Amnistie internationale appelle un «programme gouvernemental d'assassinat politique».

Soit la presse se conforme, soit, à l'instar de *La Epoca*, elle disparaît.

«On est tenté de croire», poursuivait Godoy, «que certaines personnes de la Maison-Blanche adorent les dieux aztèques — lorsqu'elles offrent en sacrifice le sang de l'Amérique centrale.» Et il cita un diplomate d'Europe occidentale qui disait: «Tant que les Américains ne changeront pas leur attitude à l'égard de la région, il n'y a de place ici ni pour la vérité ni pour l'espoir.»

L'invasion du Panama

Conformément à la tradition, le Panama fut toujours contrôlé par sa petite élite européenne, qui constitue moins de 10 pour cent de la population. Cela changea en 1968, lorsque Omar Torrijos, un général populiste, conduisit un coup d'État qui permit aux Noirs et aux Métis pauvres d'obtenir au moins une participation au pouvoir sous sa dictature militaire.

En 1981, Torrijos mourut dans un accident d'avion. En 1983, c'est Manuel Noriega qui devint le dirigeant véritable du Panama, un criminel qui avait été au service de Torrijos et du contre-espionnage américain.

Le gouvernement américain savait que Noriega était impliqué dans le trafic de drogue depuis au moins 1972, alors que l'administration Nixon envisagea de l'assassiner. Mais il n'en resta pas moins inscrit sur la liste de paye de la CIA. En 1983, une commission sénatoriale américaine conclut que le Panama était un centre de première importance pour le blanchiment de narcodevises et pour le trafic de la drogue.

Le gouvernement américain continua à tirer parti des services de Noriega. En mai 1986, le directeur de la *Drug Enforcement Agency* (DEA) (l'agence de lutte antidrogue) félicita Noriega pour sa «politique vigoureuse contre le trafic de la drogue». Une année plus tard, le directeur «célébra notre étroite collaboration» avec Noriega, tandis que le procureur général des États-Unis Edwin Meese faisait interrompre une enquête des services de la Justice sur les activités criminelles de Noriega. En août 1987, une résolution sénatoriale condamnant Noriega fut contrée par Elliott Abrams, fonctionnaire du secrétariat d'État chargé de la politique américaine en Amérique centrale et au Panama.

Et pourtant, lorsque Noriega finit quand même par être inculpé, en 1988, à Miami, toutes les accusations portées contre lui, sauf une, concernaient des activités auxquelles il s'était livré *avant* 1984 — au moment où il était encore notre homme, soutenant la guerre des Américains au Nicaragua, truquant des élections avec l'approbation des États-Unis et servant généralement les intérêts américains de façon satisfaisante. Mais cela n'avait rien à voir avec la découverte soudaine qu'il était un gangster et un trafiquant de drogue — comme on le savait déjà depuis longtemps.

C'est tout à fait prévisible, comme le démontre une interminable série d'études. Un tyran brutal franchit la limite séparant l'ami admirable du «bandit» ou de la « racaille » lorsqu'il commet le crime d'indépendance. Une erreur fréquente consiste à ne pas se contenter de voler les pauvres — ce qui est très bien — mais à commencer de s'occuper des affaires des privilégiés : cela finit toujours par susciter l'hostilité des gens d'affaires.

À partir du milieu des années 1980, Noriega se rendit coupable de ces manquements. Entre autres choses, il semble avoir traîné quelque peu les semelles lorsqu'il fut question d'aider les Américains dans la guerre des *contras*. Son indépendance menaça aussi nos intérêts dans le canal de Panama. Le 1er janvier 1990, la plus grande partie de l'administration du canal devait échoir aux Panaméens — en l'an 2000, elle leur revient en totalité. Nous devions nous assurer qu'à cette date, le Panama soit aux mains de gens que nous pourrions contrôler.

Vu que nous ne pouvions plus faire confiance à Noriega pour ce qui était d'obéir à nos ordres, nous dûmes y aller. Washington imposa des sanctions économiques qui détruisirent pratiquement l'économie du pays, le principal fardeau tombant sur la majorité non blanche démunie. Celle-ci aussi en vint à détester Noriega, et le fait qu'il ait été responsable de cette guerre économique (illégale, si l'on y regarde de près) qui faisait crever de faim leurs enfants, fut loin d'être étranger à ce revirement.

Ensuite, on essaya un coup d'État militaire, qui se solda par un échec. Et puis, en décembre 1989, les États-Unis célébrèrent la chute du mur de Berlin et la fin de la guerre froide en envahissant carrément le Panama, tuant des centaines et peut-être des milliers de civils (personne ne connaît le chiffre exact, et peu de monde au nord du Rio Grande s'en soucie suffisamment pour s'en informer). Cette opération rendit le pouvoir à la riche élite blanche qui avait été exilée par le coup d'État de Torrijos — juste à temps pour assurer un gouvernement très accommodant vis-à-vis du changement de statut administratif du canal le 1er janvier 1990 (comme le fit remarquer la presse européenne de droite).

Tout au long de ces opérations, la presse américaine emboîta le pas à Washington, désignant les gredins selon les besoins du moment. Des actes que nous avions pardonnés auparavant devinrent des crimes. Par exemple, en 1984, les élections présidentielles panaméennes avaient été remportées par Arnulfo Arias. Mais elles furent truquées au profit de Noriega, avec beaucoup de violence et de fraude.

Mais Noriega n'avait pas encore désobéi. Il était notre homme au Panama, et le parti d'Arias passait pour compter en ses rangs de dangereux éléments «ultranationalistes». L'administration Reagan applaudit par conséquent à la violence et à la fraude, et envoya le secrétaire d'État George Shultz sur place pour légitimer ces élections faussées et saluer, dans la «démocratie» façon Noriega, un modèle que feraient mieux de suivre les Sandinistes dévoyés.

L'alliance Washington-médias et les revues les plus importantes s'abstinrent de critiquer ces élections frauduleuses, mais rejetèrent comme étant dénuées de la moindre valeur celles des Sandinistes, bien plus libres et plus honnêtes, qui eurent lieu la même année — parce qu'elles ne pouvaient être contrôlées.

En mai 1989, Noriega falsifia de nouveau les élections. Cette fois, ce fut au détriment d'un représentant de l'opposition du monde des affaires, Guillermo Endara. Noriega usa de moins de violence qu'en 1984. Mais l'administration Reagan avait donné le signal indiquant que le vent avait tourné contre Noriega. Selon le scénario prévisible, la presse exprima son indignation quant à son incapacité de se conformer à nos nobles critères démocratiques.

La presse commença également à dénoncer avec passion certaines violations des droits de la personne qui n'avaient même pas effleuré son attention précédemment. Au moment où nous envahîmes Panama, en décembre 1989, la presse avait déjà « satanisé » Noriega, faisant de lui le pire monstre depuis Attila. (Dans les grandes lignes, c'était la reproduction de la « satanisation » de Kadhafi en Libye.) Ted Koppel proclamait que « Noriega appartient à cette confrérie spéciale de bandits internationaux, des gens comme Kadhafi, Idi Amin Dada et l'ayatollah Khomeyni, que les Américains ont tant de plaisir à haïr. » Dan Rather le situa « au sommet de la hiérarchie mondiale des plus grands trafiquants de drogue et de la pire racaille ». En fait, Noriega ne fut jamais qu'un voyou de très petite envergure — exactement ce qu'il était lorsqu'il figurait sur la liste de paye de la CIA.

En 1988, par exemple, *Americas Watch* publia un rapport sur les droits de la personne au Panama, et en dressa un tableau désagréable. Mais comme l'expliquaient ce rapport ainsi que d'autres enquêtes, le dossier des droits de la personne chez Noriega n'était guère différent de ceux des autres clients des États-Unis dans la région, et n'était pas pire qu'à l'époque où Noriega était toujours en faveur et qu'il obéissait aux ordres.

Prenez le Honduras, par exemple. Bien que ce ne soit pas un État terroriste meurtrier comme le Salvador ou le Guatemala, les abus en matière de droits de la personne y étaient probablement pires qu'au Panama. En fait, il y a au Honduras un bataillon entraîné par la CIA et qui à lui tout seul a perpétré plus d'atrocités que Noriega.

Ou considérez les dictateurs soutenus par les États-Unis, comme Trujillo en République dominicaine, comme Somoza au Nicaragua, Marcos aux Philippines, Duvalier à Haïti et une foule de gangsters d'Amérique centrale opérant tout au long des années 1980. Tous, ils furent bien plus violents que Noriega, mais les États-Unis les soutinrent avec enthousiasme pendant des décennies d'horribles atrocités — tant que les profits s'écoulaient de leurs pays vers les caisses des États-Unis. L'administration Bush continua à honorer Mobutu, Ceausescu et Saddam Hussein, entre autres, et c'étaient tous des criminels bien pires que Noriega. Suharto, en Indonésie, probablement le pire tueur de tous, n'en demeure pas moins un « modéré » aux yeux des médias de Washington.

En fait, au moment même où elle envahit le Panama en raison de son indignation devant les abus de Noriega en matière de droits de la personne, l'administration Bush annonçait de nouvelles ventes de technologie de pointe à la Chine, en faisant remarquer qu'un marché de 300 millions de dollars était en jeu et que les contacts avaient repris secrètement quelques semaines après le massacre de la place Tien An Men.

Le même jour — celui de l'invasion du Panama —, la Maison-Blanche annonça également ses intentions (et les mit à exécution peu de temps après) de lever l'embargo sur les prêts à l'Iraq. Le secrétariat d'État expliqua avec le plus grand sérieux que c'était « dans l'intention d'augmenter les exportations américaines et de nous mettre dans une meilleure position pour traiter avec l'Iraq concernant son dossier en matière de droits de la personne [...] ».

Le Secrétariat maintint cette posture pendant que Bush répondait par une rebuffade à l'opposition démocratique irakienne (banquiers, professionnels, etc.) et bloquait les efforts du Congrès pour condamner les crimes atroces de son vieil ami Saddam Hussein. Comparé aux copains de Bush à Bagdad et Beijing, Noriega avait des allures de mère Teresa.

Après l'invasion, Bush annonça une aide d'un milliard de dollars au Panama. De cette somme, 400 millions de dollars consistaient en encouragements aux entreprises américaines pour qu'elles exportent des produits au Panama, 150 millions étaient destinés à acquitter des emprunts bancaires et 65 millions allaient à des prêts au secteur privé et à des garanties aux investisseurs américains. En d'autres mots, la moitié de l'aide environ était un cadeau des contribuables américains aux hommes d'affaires de leur pays.

Après l'invasion, les États-Unis remirent les banquiers au pouvoir. La participation de Noriega au trafic de drogue était insignifiante, comparée à la leur. Le trafic de drogue là-bas a toujours été assuré en tout premier lieu par les banques — le système bancaire y est pratiquement exempt de réglementations, de sorte qu'il constitue un exutoire normal pour l'argent tiré du crime. C'est ce qui a été la base de l'économie hautement artificielle du Panama et ce qui continue de l'être — peut-être même à un niveau plus élevé — après l'invasion. Les forces de la Défense panaméenne ont également été réorganisées, avec à leur tête plus ou moins les mêmes officiers.

En général, rien n'a vraiment changé, sauf que ce sont maintenant des serviteurs plus fiables qui occupent les postes. (Il en est de même pour Grenade qui, depuis l'invasion américaine, est devenu un centre crucial de blanchiment de narcodollars. Le Nicaragua, lui aussi, est devenu un important canal d'acheminement des drogues sur le marché américain, après la victoire de Washington aux élections de 1990. Le modèle s'est généralisé — de même que la tendance à ne pas vouloir le remarquer.)

Vacciner l'Asie du Sud-Est

Les guerres livrées par les États-Unis en Indochine s'inscrivent dans le même schéma général. En 1948, le secrétariat d'État reconnut très clairement que le *Viêt-minh*, c'est-à-dire la résistance antifrançaise dirigée par Hô Chi Minh, était *le* mouvement national du Viêt-nam. Mais le *Viêt-minh* refusa de céder le contrôle à l'oligarchie locale. Il favorisa le développement indépendantiste et ignora les intérêts des investisseurs étrangers.

On craignait que le *Viêt-minh* ne réussît son coup, auquel cas « la pourriture se répandrait » et le « virus » pourrait « infecter » la région, pour adopter le langage utilisé invariablement d'une année à l'autre par les planificateurs. (À l'exception d'une poignée de fous et d'imbéciles, personne ne craignait une invasion. On avait surtout peur d'un exemple positif de développement réussi.)

Que faites-vous lorsque vous êtes la proie d'un virus ? En tout premier lieu, vous le détruisez, ensuite, vous vaccinez ses victimes potentielles, de façon que la maladie ne puisse se répandre. C'est en gros la stratégie américaine dans le tiers monde.

Si possible, il est conseillé de confier la destruction de ce virus aux militaires locaux. S'ils n'y parviennent pas, vous devez le faire en amenant vos propres forces. C'est extrêmement coûteux et c'est inélégant, mais parfois vous devez vous y résoudre. Le Viêt-nam était un de ces endroits où nous dûmes nous y résoudre.

Jusqu'à la fin des années 1960, les États-Unis bloquèrent toutes les tentatives de règlement politique du conflit, même celles proposées par les généraux de Saigon. Si l'affaire se réglait par la voie politique, on pouvait assister à l'amorce d'un développement heureux qui risquerait d'échapper à notre influence; c'était là une issue inacceptable.

Au lieu de cela, nous soumîmes le Sud Viêt-nam à un état de terreur du même ordre exactement qu'en Amérique latine, nous dénonçâmes ce qui constitua sans doute les seules élections libres de l'histoire du Laos (parce que le mauvais camp l'avait emporté), et nous bloquâmes les élections au Viêt-nam parce qu'il était évident que là aussi, c'était le mauvais camp qui allait gagner.

L'administration Kennedy intensifia ses attaques contre le Sud Viêt-nam, passant du terrorisme d'État massif à l'agression ouverte. Johnson envoya un énorme corps expéditionnaire pour attaquer le Sud Viêt-nam et il étendit la guerre à toute l'Indochine. Le virus fut détruit, effectivement; l'Indochine aura de la chance si elle s'en sort avant une centaine d'années.

Pendant qu'au Viêt-nam, ils éradiquaient la maladie du développement indépendant à sa source, les Américains empêchaient également qu'elle ne se répande en soutenant la prise de pouvoir de Suharto en Indonésie, en 1965, en appuyant le renversement de la démocratie philippine par Ferdinand Marcos en 1972, en soutenant la loi martiale en Corée du Sud et en Thaïlande, et ainsi de suite.

Le coup d'État de Suharto en Indonésie, en 1965, fut particulièrement bien accueilli à l'Ouest, parce qu'il détruisit le seul parti politique appuyé par la masse existant en ce pays. Cela se traduisit par le massacre, en quelques mois, d'environ 700 000 personnes, dont la plupart étaient des paysans sans terres — « un rayon de lumière en Asie », exulta James Reston, le maître à penser du *New York Times*, en assurant à ses lecteurs que les États-Unis avaient leur part dans ce triomphe.

L'Ouest fut très heureux de faire des affaires avec le nouveau dirigeant « modéré » de l'Indonésie (c'est en ces termes que le *Christian Science Monitor* décrivit le général Suharto, après qu'il eut lavé un peu de sang de ses mains, ce qui ne l'empêcha pas d'empiler des centaines de milliers de cadavres supplémentaires au Timor oriental et en d'autres endroits). Ce grand orchestrateur de massacres de foules est « très affable, au fond », nous assure le respecté *The Economist* de Londres — en voulant sans doute faire allusion à son attitude envers les grandes entreprises occidentales.

Après que la guerre du Viêt-nam eut pris fin, en 1975, le but majeur de la politique des États-Unis fut d'intensifier au maximum la répression et les souffrances dans ces pays qui avaient été dévastés par notre violence. Nous y atteignîmes un degré de cruauté tout à fait saisissant.

Lorsque les Mennonites essayèrent d'expédier des crayons au Cambodge, le secrétariat d'État mit tout en œuvre pour les en empêcher. Quand *Oxfam* essaya d'y envoyer dix pompes solaires, la réaction fut la même. La même aussi lorsque des groupes religieux se mirent en tête d'envoyer des pelles au Laos pour déterrer certains des obus non explosés laissés par les bombardements américains.

Lorsque l'Inde tenta d'expédier 100 buffles au Viêt-nam afin de remplacer les énormes troupeaux qui avaient été décimés par les attaques américaines (rappelons-nous que dans ce pays, buffle signifie fertilisation, traction, survie), les États-Unis menacèrent de supprimer le programme d'aide *Des Vivres pour la Paix*. (Celle-là, Orwell l'aurait appréciée.) Aucun degré de cruauté n'est trop élevé pour les sadiques de Washington. Les gens instruits en savent assez pour détourner le regard.

Afin de saigner le Viêt-nam, nous avons supporté indirectement les Khmers rouges par l'entremise de nos alliés, la Chine et la Thaïlande. Les Cambodgiens doivent payer de leur sang notre besoin de certitude que le Viêt-nam ne se relèvera pas. Les Vietnamiens doivent être punis pour avoir résisté à la violence américaine.

Contrairement à ce que dit presque tout le monde, à gauche comme à droite, les États-Unis ont atteint leurs principaux objectifs, en Indochine. Le Viêt-nam a été détruit. Il n'y a pas de danger d'y voir mener à bien un développement susceptible de servir de modèle à d'autres pays de cette zone.

Naturellement, cela n'a pas été une victoire totale pour les États-Unis. Nous nourrissions un projet plus important : celui de réincorporer l'Indochine dans le système mondial dominé par les États-Unis, et il n'a pas encore été réalisé.

Mais notre projet de base — le projet crucial, celui qui comptait le plus — était de détruire le virus, et nous y sommes parvenus. Le Viêt-nam est misérable, et les États-Unis font tout ce qu'ils peuvent pour qu'il le reste. En octobre 1991, ils ont une fois de plus outrepassé les objections énergiques de leurs alliés européens et japonais en renouvelant l'embargo et les sanctions à l'encontre du Viêt-nam. Le tiers monde doit apprendre que personne ne peut redresser la tête. Le gendarme de la planète poursuivra sans relâche tous ceux qui commettront ce crime inqualifiable.

La guerre du Golfe

La guerre du Golfe a été une application des mêmes grands principes, comme nous pouvons le voir si nous levons le voile jeté par la propagande.

Lorsque l'Iraq envahit le Koweït, en août 1990, le Conseil de sécurité des Nations unies le condamna immédiatement et imposa de sévères sanctions à son égard.

Pourquoi la réponse des Nations unies fut-elle si prompte et si ferme, pour la première fois? L'alliance gouvernement américain-médias offrit une réponse toute faite.

Primo, on nous raconta que l'agression de l'Iraq était un crime exceptionnel, et qu'elle méritait par conséquent une sanction tout aussi exceptionnelle. «L'Amérique se dresse là où elle l'a toujours fait — contre l'agression, contre ceux qui veulent employer la force pour remplacer la suprématie du droit.» Ce sont les propres mots du président Bush, l'envahisseur du Panama et le seul chef d'État à avoir été condamné par la Cour internationale de justice pour «recours illégal à la force» (lors de la condamnation par la Cour de l'attaque américaine contre le Nicaragua). Les médias et les classes instruites répétèrent consciencieusement les phrases que leur avait dictées leur chef, et s'inclinèrent avec respect devant la magnificence de ses hauts principes moraux.

Secundo, ces mêmes autorités proclamèrent à la façon d'une litanie que, maintenant, les Nations unies fonctionnaient enfin comme elles étaient censées le faire. Elles affirmaient que cela aurait été impensable avant la fin de la guerre froide, alors que les Nations unies étaient paralysées par la mauvaise foi de l'Union soviétique et la rhétorique criarde du tiers monde à l'encontre de l'Occident.

Aucune de ces assertions ne peut résister ne serait-ce qu'à un bref examen. Les États-Unis ne soutenaient aucun noble principe dans le Golfe, ni aucun autre État, d'ailleurs. La raison de cette réplique sans précédent contre Saddam Hussein n'était pas son agression brutale, mais le fait qu'il avait marché sur les orteils des mauvaises personnes.

Saddam Hussein est un gangster et un assassin — exactement comme avant la guerre du Golfe, lorsqu'il était notre ami et notre partenaire commercial préféré. Son invasion du Koweït fut certainement une atrocité, mais qui se situait bien en deçà des nombreux crimes semblables dirigés par les États-Unis et leurs alliés, et loin d'être aussi horrible que certaines autres. Par exemple, l'invasion de l'Indonésie et l'annexion du Timor oriental atteignirent quasiment les proportions d'un génocide, grâce au soutien décisif des Américains et de leurs alliés. Un quart de la population de 700 000 habitants aurait été massacré — une boucherie qui dépassa proportionnellement nettement celle de Pol Pot, à la même époque.

Notre représentant d'alors aux Nations unies — devenu par la suite sénateur de New York —, Daniel Moynihan, expliqua ce qu'il avait accompli aux Nations unies dans l'affaire du Timor :

> Les États-Unis souhaitaient que les choses tournent de cette façon, et ils ont travaillé en ce sens. Le secrétariat d'État tenait à ce que les Nations unies se montrent particulièrement inefficaces dans toutes les mesures qu'elles seraient amenées à prendre. Cette tâche me fut confiée, et je l'ai menée à bien avec un succès indubitable.

Le ministre australien des Affaires étrangères justifia l'accord donné par son pays à l'invasion et à l'annexion du Timor oriental (et la participation de l'Australie, avec l'Indonésie, à la mainmise sur les riches réserves pétrolières du Timor) en disant simplement que « le monde est un endroit très injuste, parsemé de nombreux exemples d'acquisitions par la force ». Lorsque l'Iraq envahit le Koweït, cependant, le gouvernement australien fit une déclaration fracassante où il était dit que « les grands pays ne peuvent envahir leurs petits voisins impunément ». Aucun cynisme, même à son apogée, ne réussit à troubler la sérénité des moralistes occidentaux.

Quant à savoir si les Nations unies pouvaient enfin fonctionner comme elles étaient censées le faire, les faits sont clairs — mais formellement démentis par les gardiens de l'orthodoxie politique qui exercent un contrôle draconien sur les moyens d'expression. Depuis de nombreuses années, l'action des Nations unies a été entravée par les grandes puissances, et en premier lieu par les États-Unis — mais pas par l'Union soviétique ni par le tiers monde. Depuis 1970, les États-Unis ont opposé leur *veto* à un nombre *beaucoup* plus important de résolutions du Conseil de sécurité que tout autre pays (la Grande-Bretagne vient en deuxième position, la France est troisième, loin derrière, et l'Union soviétique, quatrième).

Nos chiffres pour l'Assemblée générale sont du même ordre. Et la « rhétorique glapissante, antioccidentale » du tiers monde se résume habituellement à un appel en faveur du respect des lois internationales, un obstacle pitoyablement faible contre les déprédations des puissants.

Si les Nations unies furent capables de répondre à l'agression de l'Iraq, c'est parce que — pour une fois — les États-Unis le leur permirent. La sévérité sans précédent des sanctions des Nations unies fut le résultat de l'intense pression et des menaces américaines. Contrairement à l'habitude, les sanctions avaient une bonne chance de fonctionner, à la fois en raison de leur âpreté et parce que les États qui les violent d'ordinaire — les États-Unis, la Grande-Bretagne et la France — les auraient appliquées pour changer.

Mais même après avoir donné le feu vert à ces sanctions, les États-Unis mirent immédiatement tout en œuvre pour court-circuiter l'option diplomatique en expédiant dans le Golfe une énorme force militaire, accompagnée par la Grande-Bretagne et soutenue par les dictatures familiales qui dirigent les États pétroliers du Golfe, tandis que d'autres pays se contentaient d'une participation nominale.

Si elle avait été moins importante, la force de dissuasion aurait pu être maintenue en place assez longtemps pour que les sanctions aient un effet sensible ; avec une armée d'un demi-million d'hommes, ce n'était pas possible. Le but de cette concentration militaire rapide était d'écarter totalement le danger de recourir à des moyens pacifiques pour forcer l'Iraq à quitter le Koweït.

Pourquoi une résolution diplomatique offrait-elle si peu d'attrait ? Au cours des quelques semaines qui suivirent l'invasion du Koweït, le 2 août, les lignes maîtresses en vue d'une possible résolution politique commencèrent à se dégager. La résolution n° 660 du Conseil de sécurité, exigeant le retrait irakien du Koweït, réclamait en même temps des négociations autour des problèmes de frontières. À la mi-août, le Conseil de sécurité considéra une proposition irakienne de retrait du Koweït, dans ce contexte.

Il semble qu'il y ait eu deux objets de contestation : *primo*, l'accès des Irakiens au Golfe, qui aurait entraîné une location ou quelque autre forme de contrôle sur deux îlots de vase inhabités attribués au Koweït par la Grande-Bretagne par décision impériale (qui privait l'Iraq d'un accès à la mer) ; *secundo*, la résolution d'un conflit au sujet d'un champ pétrolifère qui s'étendait sur deux milles à l'intérieur du Koweït, de l'autre côté d'une frontière contestée.

Les États-Unis rejetèrent catégoriquement la proposition, ainsi que toutes formes de négociation. Le 22 août, sans révéler quoi que ce soit de l'initiative irakienne (qu'il connaissait apparemment), le *New York Times* rapporta que l'administration Bush était déterminée à bloquer la «voie diplomatique» de crainte qu'on ne parvînt à «désamorcer la crise» un peu trop facilement de cette façon. (Les faits bruts furent rapportés une semaine plus tard par le quotidien de Long Island, le *Newsday*; mais la majorité des médias gardèrent le silence.)

La dernière offre connue avant le bombardement, révélée à la presse par les représentants américains le 2 janvier 1991, exigeait le retrait total des Irakiens du Koweït. Il n'y avait pas de restrictions au sujet des frontières, mais l'offre fut proposée dans le contexte d'accords non précisés concernant d'autres problèmes «connexes»: la présence d'armes de destruction massive dans la région et le conflit israélo-arabe.

Ces derniers points comprennent l'occupation illégale du Sud-Liban par Israël, en violation de la résolution 425 du Conseil de sécurité de mars 1978, qui demandait son retrait immédiat et sans condition des territoires qu'il avait envahis. Les Américains répondirent qu'il n'y aurait pas de diplomatie. Les médias étouffèrent les faits — à part *Newsday* — tout en louant les nobles principes de Bush.

Les États-Unis refusèrent de tenir compte des problèmes «connexes» parce qu'ils étaient absolument opposés à ce qu'on les traitât par voie diplomatique. Cela avait été clairement notifié des mois avant l'invasion du Koweït par l'Iraq, lorsque les États-Unis avaient rejeté l'offre irakienne de négocier la question des armes de destruction massive. Dans son offre, l'Iraq proposait de détruire toutes ses armes chimiques et biologiques, pour autant que les autres pays de la région détruisent également leur arsenal de destruction massive.

À l'époque, Saddam Hussein était l'ami et l'allié de Bush, de sorte qu'il reçut une réponse passablement instructive. En effet, Washington dit qu'il accueillait favorablement la proposition irakienne de détruire ses propres armes, mais qu'il ne voulait pas que ceci soit lié à «d'autres questions ou systèmes d'armement».

Il n'était pas fait mention des «autres systèmes d'armement», et il y a une raison à cela. Non seulement il se peut qu'Israël ait des armes chimiques et biologiques, c'est aussi le seul pays du Moyen-Orient à posséder des armes nucléaires (vraisemblablement environ 200). Mais «armes nucléaires israéliennes» est une expression qui ne peut être écrite ni prononcée par aucune source officielle du gouvernement américain, car elle soulèverait la question de savoir pourquoi toute aide à Israël n'est pas illégale, vu que la législation sur l'aide extérieure interdit depuis 1977 de verser des fonds à tout pays qui produirait secrètement des armes nucléaires.

En outre, indépendamment de l'invasion de l'Iraq, les États-Unis avaient toujours bloqué tout «processus de paix» au Moyen-Orient prévoyant une conférence internationale et la reconnaissance aux Palestiniens de leur droit à l'autodétermination. Depuis 20 ans, les États-Unis sont pratiquement les seuls à maintenir cette position. Les votes des Nations unies indiquent l'échantillonnage régulier de l'année ; une fois de plus, en décembre 1990, au beau milieu de la crise du Golfe, l'appel en faveur d'une conférence internationale fut voté par 144 voix contre 2 (les États-Unis et Israël). Ceci n'avait rien à voir avec l'Iraq et le Koweït...

De même, les États-Unis refusèrent catégoriquement d'autoriser un revirement de l'agression irakienne par les moyens pacifiques prescrits par le droit international. Au contraire, ils préférèrent éviter la diplomatie et limiter le conflit au théâtre de la violence, dans lequel une super-puissance sans rivale à sa mesure est amenée à prendre le dessus sur un adversaire du tiers monde.

Comme on l'a déjà vu, les États-Unis ont l'habitude de perpétrer ou de soutenir des agressions, et ce, même dans des cas bien plus répréhensibles que l'invasion du

Koweït par l'Iraq. Il faut être le plus dévoué des commissaires pour ne pas s'en rendre compte, ou pour ne pas comprendre que dans le cas exceptionnel où il leur arrive de s'opposer à quelque acte illégal commis par un client ou un allié, les États-Unis sont très heureux qu'il existe des questions « connexes ».

Au cours des années 1960, l'occupation de la Namibie par l'Afrique du Sud fut déclarée illégale par la Cour internationale de justice et les Nations unies. Pendant des années, les États-Unis se cantonnèrent dans une « diplomatie tranquille » et un « engagement constructif », réussissant à faire passer un accord qui récompensait amplement l'Afrique du Sud (qui gardait entre autres le premier port de la Namibie) de son agression et de ses atrocités, avec des choses « connexes » s'étendant jusqu'aux Caraïbes et à des avantages bien accueillis par les intérêts économiques internationaux.

Les forces cubaines qui avaient défendu l'Angola, voisin de la Namibie, contre l'attaque sud-africaine, furent retirées. Opérant *grosso modo* de la même façon qu'au Nicaragua après les « accords de paix » de 1987, les États-Unis continuèrent à soutenir l'armée terroriste qu'ils avaient épaulée en compagnie de leurs alliés (l'Afrique du Sud et le Zaïre) et préparèrent le terrain pour des « élections démocratiques », style Nicaragua, prévues en 1992, lors desquelles les gens se rendront aux urnes sous la menace d'un blocus économique et d'attaques terroristes au cas où ils noirciraient les mauvaises cases.

Pendant ce temps, l'Afrique du Sud pillait et détruisait la Namibie, tout en l'utilisant comme base pour ses agressions contre ses voisins. Au cours des seules années Reagan-Bush (1980-1988), la violence sud-africaine provoqua quelque 60 milliards de dollars de dégâts et plus d'un million et demi de personnes furent tuées dans les pays voisins (en dehors de la Namibie et de l'Afrique du Sud). Mais la classe des commissaires fut incapable de voir ces faits, et salua l'éventail étonnant des principes moraux de George Bush quand il refusait les choses « connexes » (dans le cas où quelqu'un nous marche sur les pieds).

D'une façon plus générale, refuser les choses « connexes », c'est aller un peu plus loin que le simple rejet de la diplomatie qui, lui, soulève toujours des problèmes plus importants. Dans le cas du Koweït, la position américaine fut particulièrement incohérente. Après que Saddam Hussein se fut écarté de la ligne, l'administration Bush insista pour que le potentiel d'agression de l'Iraq soit éliminé (une position correcte, en contraste avec le précédent appui américain à l'agression et aux atrocités de Saddam) et elle exigea que l'on établisse un règlement général garantissant la sécurité.

Eh bien, ceci, c'est de la « connexion ». Le fait est que les États-Unis craignaient que la diplomatie finisse par « désamorcer la crise », et par conséquent, ils bloquèrent les questions « connexes » chaque fois qu'ils en eurent l'occasion tout au long de leurs préparatifs de guerre.

En refusant la diplomatie, les États-Unis atteignirent leurs principaux objectifs dans le Golfe. Il était de première importance que les incomparables réserves énergétiques du Moyen-Orient demeurent sous notre contrôle, et que les énormes profits qu'elles produisent aident à soutenir l'économie des États-Unis et de son client britannique.

Les États-Unis renforcèrent également leur position dominante et mirent en pratique l'adage qui dit que le monde doit être gouverné par la force. Après avoir atteint ces objectifs, Washington passa au maintien de la « stabilité », supprimant toute menace de changement démocratique dans les tyrannies du Golfe et prêtant son accord tacite à Saddam Hussein lorsqu'il écrasa les insurrections populaires des Chi'ites dans le Sud, à quelques kilomètres des lignes américaines, puis lorsqu'il fit de même avec les Kurdes, au Nord.

Mais l'administration Bush n'a pas encore réussi à réaliser ce que son porte-parole au *New York Times*, le correspondant principal en matière diplomatique Thomas Friedman, appelle « le meilleur de tous les mondes : une junte irakienne au poing de fer, sans Saddam Hussein ». Ceci, écrit Friedman, serait un retour à l'époque heureuse où « la poigne de fer [de Saddam...] assurait la cohésion de l'Iraq, à la grande satisfaction des alliés des États-Unis, la Turquie et l'Arabie Saoudite », pour ne pas parler du grand patron à Washington. La situation actuelle dans le Golfe reflète les priorités de la superpuissance qui avait les atouts en main, et c'est un autre truisme qui doit rester caché aux gardiens de la foi.

Les tentatives pour étouffer l'affaire Iran-*contra*

Les éléments principaux des affaires de l'Iran (ou *Irangate*) et de la *contra* étaient connus, bien avant les révélations de 1986, hormis un point : les liens qu'il y avait entre la vente d'armes à l'Iran via Israël et la guerre des *contras* dirigée à partir du bureau d'Ollie North, à la Maison-Blanche.

L'affaire de l'acheminement d'armes en Iran via Israël ne commença pas en 1985, au moment où les enquêteurs du Congrès et le procureur *ad hoc* s'en saisirent ; elle remontait aux jours qui suivirent la chute du Shah, en 1979. Dès 1982, il était de notoriété publique qu'Israël fournissait une bonne partie des armes à destination de l'Iran — on pouvait le lire à la une du *New York Times*.

En février 1982, des ressortissants israéliens (dont les noms devaient apparaître plus tard au cours de l'enquête sur l'Iran et la *contra*) parurent à la télévision de la BBC et décrivirent comment ils avaient aidé à mettre sur pied un acheminement régulier d'armes vers le régime de Khomeyni. En octobre 1982, l'ambassadeur israélien aux États-Unis affirma publiquement qu'Israël envoyait des armes au régime de Khomeyni «avec la coopération des États-Unis [...] presque au plus haut niveau». Les hauts fonctionnaires israéliens impliqués dans l'affaire en donnèrent également les raisons : il fallait établir des liens avec des éléments de l'armée iranienne susceptibles de renverser le régime, tout en rétablissant les accords en vigueur à l'époque du Shah — la procédure habituelle dans ce genre d'opération.

Pour ce qui est de la guerre des *contras*, les faits saillants des opérations illégales de North et de la CIA étaient déjà connus en 1985 (plus d'un an avant que l'histoire n'éclate au grand jour, lorsqu'un avion de ravitaillement américain fut abattu et qu'un de nos agents, Eugene Hasenfus, fut capturé). Les médias choisirent simplement de porter leurs regards dans une autre direction.

En fin de compte, comment le scandale de l'Iran et de la *contra* finit-il par éclater ? Le moment vint où il fut tout à fait impossible de l'occulter plus longtemps. Au moment où Hasenfus fut abattu au Nicaragua alors qu'il transportait une cargaison d'armes que la CIA destinait aux *contras*, la presse libanaise rapportait que le conseiller de la Sécurité nationale des États-Unis distribuait des Bibles et des gâteaux au chocolat à Téhéran, de sorte qu'il ne fut plus possible de garder l'histoire sous la couverture. C'est après cela que les liens entre ces deux affaires bien connues apparurent au grand jour.

Nous passâmes ensuite à la phase suivante : le contrôle des dégâts. Simple question de suivi.

Perspectives pour l'Europe de l'Est

L'élément marquant des événements qui se produisirent en Europe de l'Est au cours des années 1980, c'est le recul du pouvoir impérial. Non seulement l'URSS permit à certains mouvements populaires de développer leurs activités, mais elle les encouragea dans cette voie. Des faits de ce genre n'ont guère de précédents dans l'Histoire.

Si cela put se produire, ce n'est pas parce que les Soviétiques sont de charmants garçons. En fait, ils y furent contraints par des nécessités internes. Mais ce genre de chose *arriva* quand même et, par la suite, les mouvements populaires en Europe de l'Est n'eurent rien à affronter qui ressemblât, même de loin, à ce qu'ils auraient pu affronter sur notre propre terrain. Le journal des jésuites salvadoriens faisait remarquer avec beaucoup d'à-propos qu'au Salvador, Vaclav Havel (l'ancien prisonnier politique devenu président de la Tchécoslovaquie) n'aurait pas été mis en prison, mais qu'il aurait probablement été découpé en morceaux avant d'être abandonné quelque part sur le bas-côté d'une route.

L'URSS présenta même ses excuses pour avoir fait usage de la violence dans le passé, et ceci aussi était un fait sans précédent. Les journaux américains conclurent que, si les Russes admettaient que l'invasion de l'Afghanistan constituait un crime qui violait le droit international, c'est qu'ils rejoignaient enfin le monde civilisé. C'est une réaction intéressante. Imaginez que dans les médias américains l'une ou l'autre personne suggère que les États-Unis devraient peut-être essayer de se hisser au niveau moral du Kremlin et admettre que leurs attaques contre le Viêt-nam, le Laos et le Cambodge ont violé le droit international...

Le seul pays d'Europe de l'Est où il y eut beaucoup de violence au moment où les tyrannies s'effondrèrent fut celui où les Soviétiques exerçaient le moins d'influence et où nous en avions le plus : la Roumanie. Nicolae Ceausescu, le dictateur de la Roumanie, avait visité l'Angleterre et on avait déroulé pour lui le tapis rouge. Les États-Unis lui accordèrent également le traitement réservé au chef d'une nation favorisée, des avantages commerciaux et d'autres choses du même ordre.

Ceausescu était exactement aussi brutal et fou à l'époque qu'il le serait plus tard, mais parce qu'il s'était en grande partie retiré du pacte de Varsovie et qu'il suivait un parcours quelque peu indépendant, nous sentîmes qu'il était plutôt disposé à se ranger de notre côté dans la lutte internationale. (Nous sommes favorables à l'indépendance aussi longtemps qu'elle se manifeste dans l'empire des autres, pas dans le nôtre.)

Partout ailleurs en Europe orientale, les soulèvements se déroulèrent de façon étonnamment calme. Il y eut un peu de répression, mais dans l'Histoire, 1989 fut une année unique. Je n'en vois pas d'autre qui s'en rapproche.

Je pense que les perspectives sont assez limitées pour l'Europe de l'Est. L'Ouest a un plan pour elle — il veut en transformer de larges étendues en une nouvelle zone, facilement exploitable, du tiers monde.

Il existait autrefois une sorte de relation coloniale entre l'Europe occidentale et l'Europe orientale ; en fait, le gel de cette relation par les Russes fut un des motifs de la guerre froide. De nos jours, cette relation tend à se rétablir et on assiste à une lutte sérieuse dont l'enjeu est de remporter la course au pillage et à l'exploitation de ces pays : sera-ce l'Europe occidentale sous la conduite de l'Allemagne (actuellement en tête), ou le Japon (qui attend en coulisse de voir si les profits sont intéressants), ou alors les États-Unis (qui essaient de se faufiler sur la scène) ?

Il y a là un tas de ressources à prendre, et d'énormes quantités de main-d'œuvre pas chère pour des usines d'assemblage. Mais nous devons tout d'abord leur imposer le modèle capitaliste. Nous ne l'acceptons pas pour nous-mêmes — mais nous insistons pour qu'on l'applique au tiers monde. C'est le système du FMI. Si nous parvenons à le leur faire accepter, il sera très facile de les exploiter, et ils progresseront vers leur nouveau rôle, semblable à celui du Brésil ou du Mexique.

À bien des égards, l'Europe de l'Est offre davantage d'attraits pour les investisseurs que l'Amérique latine. Une raison à cela, c'est que la population y a la peau blanche et les yeux bleus. Il est par conséquent plus facile de traiter avec elle pour des investisseurs provenant de sociétés profondément racistes comme celles de l'Europe occidentale et des États-Unis.

Mais il y a un facteur encore plus important : les niveaux de santé et de scolarité sont bien plus élevés en Europe de l'Est qu'en Amérique latine qui, hormis des groupes isolés de riches et de privilégiés, est une zone totalement sinistrée. L'une des rares exceptions dans ce domaine est Cuba, qui approche les standards occidentaux de santé et d'alphabétisation, mais ses perspectives sont très sombres.

Une des principales raisons de cet écart important entre l'Europe de l'Est et l'Amérique latine est le niveau beaucoup plus élevé du terrorisme d'État dans cette dernière, après le règne de Staline. La deuxième raison est d'ordre économique.

Selon les services secrets américains, l'Union soviétique insuffla environ 80 milliards de dollars dans l'Europe de l'Est au cours des années 1970. La situation fut très différente en Amérique latine. Entre 1982 et 1987, environ

150 milliards de dollars y furent prélevés et transférés vers l'Occident. Le *New York Times* estime que le montant des « transactions cachées » (y compris l'argent de la drogue, des profits illicites, etc.) pourrait atteindre les 700 milliards de dollars. Les conséquences pour l'Amérique centrale ont été particulièrement atroces, mais il en est de même partout en Amérique latine, où sévissent tout ensemble une horrible pauvreté, la malnutrition, la mortalité infantile, la destruction de l'environnement, le terrorisme d'État, ainsi qu'une dégringolade du niveau de vie qui est revenu à ce qu'il était il y a des dizaines d'années.

En Afrique, la situation est encore pire. Les méfaits du capitalisme furent particulièrement graves pendant les années 1980, un « cauchemar implacable » dans les domaines des puissances occidentales, pour reprendre l'expression juste utilisée par le responsable de l'Organisation de l'unité africaine (OUA). Des statistiques fournies par l'Organisation mondiale de la santé estiment que 11 millions d'enfants meurent chaque année dans le monde « en voie de développement » ; c'est un « génocide silencieux » auquel on pourrait mettre fin rapidement si les ressources servaient à répondre aux besoins humains plutôt qu'à enrichir un nombre restreint de personnes.

Dans une économie mondiale conçue en fonction des intérêts et des besoins des grandes entreprises multi-nationales et de la finance internationale, ainsi que des secteurs qui les servent, la plus grande partie de l'espèce humaine devient superflue. Tous ces gens seront mis de côté si les structures institutionnelles du pouvoir et des privilèges continuent à fonctionner sans se faire remettre en question ou contrôler par les masses populaires.

Les hommes de main de la planète

Au cours de la majeure partie de ce siècle, les États-Unis furent sans aucun doute la puissance économique dominante de la planète, et cela fit de la guerre économique une arme particulièrement attrayante, avec des mesures allant de l'embargo illégal à la mise en application par la force des décisions du FMI (chez les faibles). Mais durant ces 20 dernières années environ, les États-Unis ont connu un certain déclin par rapport au Japon et à l'Europe dirigée par l'Allemagne (déclin en partie imputable à la mauvaise gestion de l'administration Reagan qui organisa une réception pour les riches et en fit supporter les frais à la majorité de la population et aux générations futures). Durant la même période, par contre, la puissance militaire américaine est devenue absolument souveraine.

Tant que l'Union soviétique fut dans le coup, il y avait une limite à l'ampleur des forces que les États-Unis pouvaient déployer, particulièrement dans les régions plus éloignées où nous n'avions pas un énorme avantage sur le plan logistique conventionnel. Et vu que l'URSS avait l'habitude de soutenir des gouvernements et des mouvements politiques que les États-Unis tentaient de renverser, il y avait des risques de voir l'intervention américaine dans le tiers monde dégénérer en guerre nucléaire. La disparition de la dissuasion soviétique laisse les États-Unis beaucoup plus libres de s'adonner à la violence partout dans le monde, un fait que les analystes politiques américains reconnaissent avec grande satisfaction depuis plusieurs années.

Dans toute confrontation, chaque participant essaie de déplacer la bataille vers un domaine où il aura le plus de chances de remporter la victoire. Vous voulez diriger les opérations en fonction de vos forces et en jouant votre meilleure carte. L'atout maître des États-Unis est la force ; par conséquent, si nous pouvons établir le principe qui veut que c'est la force qui dirige le monde, c'est une victoire pour nous. Par contre, si un conflit se règle par des moyens pacifiques, nous sommes moins avantagés, parce que nos adversaires sont aussi forts que nous, voire meilleurs, sur ce terrain.

La diplomatie est une option particulièrement malvenue, à moins qu'on ne l'utilise sous la menace des canons. Pour leurs desseins dans le tiers monde, les États-Unis ne jouissent que d'un soutien populaire très réduit. Cela n'a rien de surprenant, vu qu'ils essaient d'imposer des structures de domination et d'exploitation. Un règlement diplomatique est censé satisfaire, au moins jusqu'à un certain point, les intérêts des autres participants aux négociations, et cela pose un problème, lorsque vos positions ne sont pas très populaires.

En conséquence, la négociation est quelque chose que les États-Unis essaient habituellement d'éviter. Contrairement à ce que ressasse la propagande, cela s'est vérifié en Asie du Sud-Est, au Moyen-Orient et en Amérique centrale, et ce, depuis de nombreuses années.

Dans ce contexte, il est naturel que l'administration Bush considère la puissance militaire comme un instrument majeur de sa politique, et la préfère à des sanctions et à la diplomatie (comme ce fut le cas dans la crise du Golfe). Mais vu qu'aujourd'hui les États-Unis ne disposent pas d'assise économique leur permettant d'imposer « l'ordre et la stabilité » dans le tiers monde, ils doivent compter sur d'autres pour payer la facture de leurs opérations — bien nécessaires, estime-t-on généralement, puisqu'il faut bien que quelqu'un garantisse le respect envers les maîtres. L'afflux des profits en provenance de la production pétrolière du Golfe y contribue, mais le Japon et l'Europe continentale dirigée par l'Allemagne doivent également payer leur part lorsque les États-Unis adoptent le « rôle du mercenaire », conformément aux avis de la presse internationale des affaires.

Le responsable des questions financières du journal conservateur *Chicago Tribune* a insisté sur ces thèmes avec une clarté toute particulière. Nous devons être des « mercenaires volontaires », payés par nos rivaux pour nos nombreux bons offices, et utiliser notre « puissance monopolistique » sur le « marché de la sécurité » afin de maintenir « notre contrôle sur le système économique mondial ». Nous devrions entretenir un *racket* mondial de protection, conseille-t-il, en vendant notre « protection » à d'autres puissances prospères qui nous alloueront une « redevance de guerre ».

Ça, c'est Chicago, où tout le monde se comprend : si quelqu'un vous ennuie, vous appelez la mafia pour lui casser la figure. Et si vous vous faites tirer l'oreille au sujet du paiement, votre santé risque également d'en pâtir.

Bien sûr, ce n'est qu'en dernier ressort que l'on fera appel à la force pour contrôler le tiers monde. S'il est à même d'accomplir le travail, le FMI est un instrument bien plus rentable que les *Marines* et la CIA. Mais la « poigne de fer » doit se tenir prête en coulisse, et être disponible lorsqu'on en a besoin.

Notre rôle de tueur à gages est aussi une source de souffrances chez nous. Toutes les puissances industrielles prospères ont compté sur l'État pour protéger et mettre en valeur leurs puissants intérêts économiques domestiques, pour consacrer les deniers publics aux besoins des investisseurs, etc. — c'est d'ailleurs une des raisons pour lesquelles elles sont prospères. Depuis 1950, les États-Unis ont maintenu ces buts, principalement par le truchement du Pentagone (y compris la NASA et la direction de l'Énergie, qui produit les armes nucléaires). Nous sommes maintenant coincés dans ces structures parce que nous voulons préserver l'électronique, l'informatique et les industries de technologie de pointe en général.

Les excès keynésiens de la politique militariste de Reagan amenèrent d'autres problèmes. Le transfert des fonds vers des minorités prospères et d'autres lignes politiques gouvernementales entraînèrent une immense vague de manipulations financières et une orgie de consommation. Mais on ne faisait pas grand-chose du côté des investissements productifs, et le pays s'enfonçait dans des dettes énormes : celles du gouvernement, des entreprises et des ménages, sans parler de l'incalculable dette constituée par les besoins sociaux qui ne sont pas assurés, vu que la société dérive vers un profil tiers-mondiste, avec des îlots de grande richesse et de privilèges dans un océan de misère et de souffrance.

Quand un pays s'engage dans de telles voies politiques, il doit d'une manière ou d'une autre trouver une façon de distraire la population, de l'empêcher de voir ce qui se passe autour. Il n'y a pas trente-six façons de procéder. Les plus courantes consistent à susciter partout la crainte d'ennemis terribles sur le point de nous écraser, en même temps qu'un respect craintif envers nos formidables dirigeants qui nous sauveront du désastre juste à temps.

Ceci fut l'approche adoptée tout au long des années 1980, et elle requit des trésors accrus d'ingéniosité à mesure que l'épouvantail généralement utilisé, la menace soviétique, devenait de plus en plus difficile à prendre au sérieux. C'est ainsi que nos existences furent menacées tantôt par Kadhafi et ses hordes de terroristes internationaux, tantôt par Grenade et son inquiétante base aérienne, ou par les Sandinistes marchant sur le Texas, ou encore par les narcotrafiquants hispaniques dirigés par Noriega, le maniaque par excellence, ou, toujours, par des Arabes hystériques. Plus récemment, ce fut Saddam Hussein, après qu'il eut commis son seul crime — le crime de désobéissance — en août 1990. Aujourd'hui, nous sommes dans l'obligation d'admettre de plus en plus ce qui a toujours été vrai : notre principal ennemi est le tiers monde, et il risque fort de « se déchaîner » d'ici peu.

Ces lois ne sont pas des lois de la nature. Les processus et les institutions qui les engendrent pourraient être modifiés. Mais cela exigera des mutations culturelles, sociales et institutionnelles énormes, comportant l'adoption de structures démocratiques qui iront bien au-delà du choix périodique de représentants du monde des affaires pour gérer les questions domestiques et internationales.

CHAPITRE III

Lavage de cerveau à domicile

Comment fonctionnait la guerre froide

Bien qu'on l'ait beaucoup prétendu, la sécurité nationale n'a pas été un souci majeur pour nos planificateurs et nos représentants élus. L'historique des événements l'indique clairement. Peu d'analystes sérieux ont manifesté leur désaccord avec la position de George Kennan lorsqu'il affirmait que « ce n'est pas la puissance militaire russe qui nous menace, mais bien la puissance politique russe » (octobre 1947) ; ou avec la vision cohérente du président Eisenhower selon laquelle les Russes n'avaient pas l'intention de conquérir militairement l'Europe occidentale, et que le rôle majeur de l'OTAN était de « procurer un sentiment de confiance aux populations exposées, une confiance qui les rendrait plus robustes, politiquement, dans leur opposition aux empiètements communistes ».

De la même façon, les États-Unis écartèrent les possibilités d'une résolution pacifique du conflit engendré par la guerre froide, ce qui aurait laissé la « menace politique » intacte. Dans son histoire des armes nucléaires, McGeorge

Bundy écrit qu'il n'est « au courant d'aucune proposition contemporaine sérieuse [...] indiquant que les missiles balistiques devraient d'une façon ou d'une autre être bannis par un accord avant même qu'ils aient été déployés », même s'ils constituent la seule menace militaire potentielle qui ait jamais plané sur les États-Unis. Ce fut toujours la menace « politique » du soi-disant « communisme » qui fut le premier sujet de préoccupation.

(Rappelez-vous que « communisme » est un terme générique et qu'il inclut tous ceux qui ont la « capacité de s'assurer le contrôle des mouvements de masses [...] quelque chose que nous ne sommes pas capables de reproduire », comme s'en plaignait en privé le secrétaire d'État John Foster Dulles à son frère Allen, directeur de la CIA. « Ce sont les pauvres qu'ils attirent », ajouta-t-il, « et ils ont toujours voulu dépouiller les riches. » De sorte que nous devons en venir à bout, afin de protéger notre doctrine qui veut que ce soient les riches qui dépouillent les pauvres.)

Naturellement, et les États-Unis et l'URSS auraient préféré que celui d'en face disparaisse simplement. Mais comme cela aurait probablement entraîné leur anéantissement mutuel, on préféra instaurer un système de gestion du monde qui reçut le nom de guerre froide.

Selon l'opinion conventionnelle, la guerre froide fut un conflit entre deux superpuissances, provoqué par l'agression soviétique, et au cours duquel nous essayâmes de contenir l'Union soviétique et de protéger le monde contre elle. Si cette opinion est un dogme, il n'y a nul besoin de la discuter. Si, par contre, elle est destinée à faire un peu de lumière sur l'Histoire, nous pouvons aisément la mettre à l'épreuve, en gardant à l'esprit une règle très simple : si vous voulez comprendre la guerre froide, il vous faut examiner les événements de la guerre froide. Et si vous le faites, c'est une image très différente qui vous apparaîtra.

Du côté soviétique, les événements de la guerre froide furent des interventions répétées en Europe de l'Est : des chars d'assaut à Berlin-Est, à Budapest et à Prague. Ces interventions se produisirent le long de la route qui servit à attaquer et à détruire pratiquement la Russie à trois reprises déjà au cours de ce seul siècle. L'invasion de l'Afghanistan est le seul exemple d'une intervention effectuée en dehors de cette route, bien qu'elle ait également eu lieu sur la frontière soviétique.

Du côté américain, il y eut des interventions partout dans le monde, et cela reflète bien le statut atteint par les États-Unis de première puissance réellement planétaire de l'Histoire.

Sur le front intérieur, la guerre froide permit à l'Union soviétique d'asseoir sa classe dominante militaro-bureaucratique au pouvoir, et elle amena les États-Unis à forcer leur population à subventionner l'industrie de technologie avancée. Il n'est pas facile de vendre ce genre de produit à nos populations. On employa pour ce faire la bonne vieille recette toujours prête à servir — la crainte d'un ennemi redoutable.

Cet ennemi, la guerre froide le fournit également. Peu importait que l'idée d'une Union soviétique occupée à étrangler l'Occident de ses tentacules pût paraître absurde : l'« Empire du Mal » faisait bel et bien le mal, était bel et bien un empire et, de surcroît, un empire brutal. Chaque superpuissance contrôlait son principal ennemi, c'est-à-dire sa propre population, en la terrifiant avec les crimes (tout à fait réels) commis par l'autre.

Sur des points fondamentaux, donc, la guerre froide était une sorte d'arrangement tacite entre l'Union soviétique et les États-Unis autorisant ces derniers à livrer leurs guerres contre le tiers monde et à contrôler leurs alliés en Europe, tandis que les dirigeants soviétiques maintenaient une poigne de fer sur leur propre empire intérieur et sur ses satellites en Europe de l'Est — chaque côté se servant de l'autre pour justifier la répression et la violence dans ses propres quartiers.

Dans ce cas, pourquoi la guerre froide prit-elle fin, et dans quelle mesure son dénouement modifia-t-il les choses ? À partir des années 1970, les dépenses militaires soviétiques plafonnèrent et les problèmes internes allèrent en s'amplifiant, de pair avec la stagnation économique et les pressions croissantes pour mettre fin à un gouvernement tyrannique. La puissance soviétique, en fait, connaissait un déclin sur le plan international depuis une trentaine d'années, comme le montra une étude menée en 1980 par le *Center for Defense Information* (centre d'information pour la Défense). Quelques années plus tard, le système soviétique s'était effondré. La guerre froide se termina par la victoire de celui qui avait toujours été de loin le plus riche et le plus puissant des deux adversaires. L'effondrement soviétique s'inscrivit dans la catastrophe économique générale des années 1980, plus grave en fait dans la plupart des zones tiers-mondistes de l'Ouest que dans l'Empire soviétique.

Comme nous l'avons déjà vu, la guerre froide comportait des éléments importants du conflit Nord-Sud (pour utiliser l'euphémisme contemporain désignant la conquête du monde par l'Europe). De nombreuses régions de l'Empire soviétique avaient été auparavant des dépendances quasi coloniales de l'Ouest. L'Union soviétique préféra suivre une trajectoire indépendante, en fournissant de l'assistance à certaines cibles des attaques occidentales et en décourageant ainsi ce qu'il pouvait y avoir de pire dans la violence occidentale. Avec l'effondrement de la tyrannie soviétique, on peut s'attendre à ce qu'une bonne partie de la région retrouve son statut traditionnel, avec les anciens échelons les plus élevés de la bureaucratie tenant le rôle de ces élites tiers-mondistes qui s'enrichissent tout en servant les intérêts des investisseurs étrangers.

Mais alors que cette phase particulière s'est terminée, le conflit Nord-Sud continue. Un camp peut avoir abandonné le jeu, mais les États-Unis procèdent comme avant — plus librement, en fait, vu que la dissuasion soviétique appartient au passé. Personne n'aurait dû se surprendre que George Bush célèbre la fin symbolique de la guerre froide, c'est-à-dire la chute du mur de Berlin, en envahissant aussitôt Panama et en annonçant haut et fort que les États-Unis allaient fausser les élections nicaraguayennes en maintenant leur carcan économique et leurs attaques militaires, à moins que ce ne fût «notre camp» qui les remportât.

Il ne fallut pas non plus beaucoup de perspicacité à Elliott Abrams pour observer que l'invasion américaine du Panama était inhabituelle, parce qu'elle pouvait être menée sans danger de voir les Soviétiques réagir ailleurs, et il n'en fallut pas plus à de nombreux commentateurs durant la crise du Golfe pour ajouter que les États-Unis et la Grande-Bretagne étaient maintenant libres d'utiliser des forces illimitées contre leur ennemi du tiers monde, vu qu'ils n'étaient désormais plus inhibés par la dissuasion soviétique.

Naturellement, la fin de la guerre froide apporte aussi ses problèmes. Entre autres, la technique utilisée pour contrôler la population domestique a dû évoluer, et c'est un problème admis tout au long des années 1980, comme nous l'avons déjà vu. Il faut inventer de nouveaux ennemis. Il devient de plus en plus difficile de cacher le fait que le véritable ennemi a toujours été « les pauvres qui cherchent à dépouiller les riches » — en particulier, ces mécréants du tiers monde qui cherchent à se libérer de leur rôle de soutien.

La guerre aux drogues (à certaines, du moins)

Pour remplacer l'Empire du Mal qui venait de disparaître, on se rabattit sur la menace que constituaient les trafiquants de drogue d'Amérique latine. Au début de septembre 1989, le gouvernement, de concert avec les médias, orchestra une guerre éclair d'envergure, lancée par le Président. Ce mois-là, les dépêches de l'AP colportèrent plus d'histoires sur les drogues que sur l'Amérique latine, l'Asie, le Moyen-Orient et l'Afrique réunis. Si vous regardiez la télévision, chaque émission d'informations comportait une importante section montrant comment les drogues détruisent notre société, devenant ainsi la plus grande menace pour notre existence, etc.

L'effet sur l'opinion publique fut immédiat. Au moment où Bush remporta les élections de 1988, les gens disaient que le déficit budgétaire était le plus grand problème auquel le pays était confronté. Seulement 3 pour cent environ des personnes interrogées mentionnaient la drogue. Après le bombardement médiatique, l'inquiétude quant au déficit avait dégringolé et les drogues avaient monté en flèche jusqu'à 40 ou 45 pour cent, ce qui est très rare avec une question ouverte (sans choix de réponses).

Maintenant, lorsqu'un État satellite se plaint que le gouvernement américain ne lui envoie pas assez d'argent, on ne lui répond plus « Nous en avons besoin pour arrêter les Russes », mais plutôt « Nous en avons besoin pour mettre fin au trafic de la drogue ». Comme la menace soviétique jadis, cet ennemi fournit une excellente excuse pour maintenir une présence militaire américaine là où il y a des activités rebelles ou quelque autre sujet d'inquiétude.

Ainsi, sur le plan international, «la guerre à la drogue» sert à masquer l'intervention. Sur le plan national, cela n'a pas grand-chose à voir avec la drogue, mais plutôt avec la nécessité de distraire la population, d'intensifier la répression dans certains quartiers et de s'assurer un soutien pour pouvoir s'en prendre aux libertés fondamentales.

Cela ne veut pas dire que «l'abus de substances» n'est pas un problème grave. Au temps où la guerre contre la drogue fut lancée, le nombre de morts imputables au tabac était estimé à environ 300 000 par an, en plus de quelque 100 000 morts dues à l'alcool. Mais ce ne sont pas ces drogues-là que visait l'administration Bush. Elle en avait contre les drogues illégales, qui avaient causé bien moins de morts — un peu plus de 3500 par an — selon des chiffres officiels. Une des raisons de pourchasser ces drogues était que leur usage avait décliné depuis plusieurs années, de sorte que l'administration Bush pouvait prédire sans danger que sa guerre à la drogue «réussirait» à en faire diminuer l'usage.

L'administration visait aussi la marijuana, qui n'avait causé aucune mort connue parmi 60 millions de consommateurs. En fait, cette répression a empiré le problème de la drogue — de nombreux consommateurs de marijuana se sont détournés de cette drogue relativement inoffensive pour adopter des drogues plus dangereuses comme la cocaïne, par exemple, qui sont plus faciles à dissimuler.

Au moment même où la guerre à la drogue fut lancée à grand renfort de publicité, en septembre 1989, un comité de l'*US Trade Representative* (USTR, comité de représentants du commerce des États-Unis) tint une audition à Washington pour examiner une requête de l'industrie du tabac demandant que les États-Unis appliquent des sanctions contre la Thaïlande en représailles contre sa tentative de limiter les importations et la promotion des tabacs américains. Le gouvernement américain avait déjà mené de telles actions qui ont imposé ce narcotique meurtrier provoquant la dépendance aux consommateurs japonais, sud-coréens et taïwanais, avec les coûts en vies humaines dont nous avons déjà mentionné les proportions.

Le médecin-chef des États-Unis, Everett Koop, déclara devant le comité de l'USTR que « lorsque nous plaidons auprès des gouvernements étrangers afin qu'ils mettent un frein au trafic de cocaïne, nous atteignons le sommet de l'hypocrisie en exportant du tabac ». Il ajouta : « Plus tard, notre pays reviendra sur cette application de la politique du libre-échange et la jugera scandaleuse. »

Des témoins thaïlandais protestèrent aussi, prédisant que la conséquence des sanctions américaines serait de renverser le déclin du tabagisme résultant de la campagne antitabac mise sur pied par leur gouvernement. Répondant aux industriels américains du tabac qui prétendaient que leurs produits étaient les meilleurs au monde, un témoin thaï dit : « Dans le Triangle d'Or, nous disposons incontestablement de quelques-uns des meilleurs produits, mais nous ne demandons jamais au principe du libre-échange de régir de tels produits. En réalité, nous (les) avons supprimés. » Des critiques rappelèrent la guerre de l'opium menée 150 ans plus tôt, lorsque le gouvernement britannique avait forcé la Chine à ouvrir ses portes à l'opium en provenance des Indes britanniques, vantant d'un ton moralisateur les vertus du libre-échange alors qu'ils imposaient par la force une dépendance massive à cette drogue en Chine.

Nous avons là la plus grosse histoire de drogue de notre époque. Imaginez les gros titres tapageurs : « Le gouvernement américain est le plus grand trafiquant de drogue du monde ». Cela ferait certainement vendre de la copie. Mais cette histoire passa quasiment inaperçue, et on ne fit pas la moindre allusion aux conclusions pourtant évidentes.

Un autre aspect du problème de la drogue, qui n'a reçu également que peu d'attention, c'est le rôle prépondérant du gouvernement américain dans le développement du trafic de la drogue après la Seconde Guerre mondiale. Cela se situe en partie au moment où les États-Unis entreprirent leur tâche d'après-guerre de saper la résistance antifasciste : c'est alors que les mouvements ouvriers devinrent une cible importante.

En France, la menace que constituaient la puissance et l'influence politique du mouvement ouvrier s'intensifia lorsque ce dernier lança ses campagnes contre la livraison d'armes aux forces françaises qui voulaient reconquérir leur ancienne colonie du Viêt-nam grâce à l'aide américaine. La CIA entreprit alors d'affaiblir et de diviser le mouvement ouvrier français — avec l'aide des grands dirigeants ouvriers américains, qui étaient très fiers de leur rôle.

Cette besogne nécessita l'intervention de briseurs de grèves et de gangsters. Il y avait un fournisseur tout désigné : la mafia. Naturellement, elle n'accepta pas de faire ce travail pour le simple plaisir de la chose. Elle demanda d'être récompensée pour ses efforts. Et on le fit : elle fut autorisée à réorganiser le trafic de l'héroïne qui avait été supprimé par les gouvernements fascistes — ce fut la fameuse « filière française », qui domina le commerce de la drogue jusque dans les années 1960.

À cette époque, le centre du trafic de la drogue s'était déplacé vers l'Indochine, principalement au Laos et en Thaïlande. Encore là, ce transfert fut un sous-produit d'une opération de la CIA — la «guerre secrète» livrée dans ces pays durant la guerre du Viêt-nam par une armée de mercenaires à sa solde. Ces derniers aussi exigèrent des dédommagements pour leur contribution. Et plus tard, lorsque la CIA déplaça ses activités vers le Pakistan et l'Afghanistan, le trafic de la drogue connut un boum là aussi.

La guerre clandestine contre le Nicaragua stimula également les trafiquants de drogue dans cette région, grâce aux livraisons aériennes (illégales) d'armes de la CIA aux forces mercenaires américaines, qui offraient un moyen simple de ramener des drogues aux États-Unis, parfois même via les bases de l'armée de l'air américaine, prétendent les trafiquants.

La relation étroite entre le trafic de la drogue et le terrorisme international (parfois appelé «contre-insurrection», «conflit de faible intensité» ou par quelque autre euphémisme) n'a rien de surprenant. La mise sur pied d'opérations clandestines requiert de grosses sommes d'argent dont l'origine doit être indétectable. Et elles nécessitent également de la main-d'œuvre criminelle. Le reste s'ensuit.

La guerre, c'est la paix - La liberté, c'est l'esclavage - L'ignorance, c'est la force

Une caractéristique des termes du discours politique, c'est qu'ils sont généralement à double sens. L'un est le sens que l'on trouve au dictionnaire, et l'autre est un sens dont la fonction est de servir le pouvoir — c'est le sens doctrinal.

Prenez le mot *démocratie*. Si l'on s'en tient au sens commun du terme, une société est démocratique dans la mesure où les gens qui la constituent peuvent participer de façon concrète à la gestion de leurs affaires. Mais le sens doctrinal de *démocratie* est différent — il désigne un système dans lequel les décisions sont prises par certains secteurs de la communauté des affaires et par les élites qui s'y rattachent. Le peuple n'y est qu'un «spectateur de l'action», et non pas un « participant», comme l'ont expliqué d'éminents théoriciens de la démocratie (dans ce cas, Walter Lippmann). Les citoyens ont le droit de ratifier les décisions prises par leurs élites et de prêter leur soutien à l'un ou l'autre de leurs membres, mais pas celui de s'occuper de ces questions — comme, par exemple, l'élaboration des politiques d'ordre public — qui ne sont aucunement de leur ressort.

Lorsque certaines tranches du peuple sortent de leur apathie et commencent à s'organiser et à se lancer dans l'arène publique, ce n'est plus de la démocratie. Il s'agit plutôt d'une *crise de la démocratie*, dans l'acception strictement technique du terme, d'une menace qui doit être surmontée d'une façon ou d'une autre : au Salvador, par des escadrons de la mort ; chez nous, par des moyens plus subtils et indirects.

Ou prenez la *libre entreprise*. C'est un terme qui, dans la pratique, désigne un système de subventions publiques et de profits privés, avec une intervention massive du gouvernement dans l'économie pour maintenir l'État-providence pour les riches. En fait, dans la pratique courante, toute expression contenant le mot «libre» a bien des chances de vouloir dire le contraire de son sens réel.

Ou prenez la *défense contre l'agression*, une expression qu'on utilise — comme il fallait s'y attendre — pour parler d'agression. Lorsque les États-Unis attaquèrent le Sud Viêt-nam, au début des années 1960, le héros libéral Adlaï Stevenson (parmi d'autres) expliqua que nous défendions le Sud Viêt-nam contre une « agression interne » — c'est-à-dire l'agression des paysans sud-vietnamiens contre l'armée de l'air américaine et une armée de mercenaires dirigée par les États-Unis, qui les chassèrent de leurs maisons pour les jeter dans des camps de concentration où on put les « protéger » des guérilleros du sud. En fait, ces paysans soutenaient volontiers les guérilleros, alors que le régime appuyé par les États-Unis était une coquille vide, et cela était reconnu dans les deux camps.

Le système doctrinal s'est montré si magnifiquement à la hauteur de sa tâche qu'aujourd'hui, 30 ans plus tard, l'idée que ce sont les États-Unis qui ont attaqué le Sud Viêt-nam est impensable, voire taboue, dans l'opinion courante. De même, il serait inconcevable aujourd'hui d'émettre le moindre doute sur les enjeux essentiels de cette guerre. Les gardiens de l'orthodoxie politique (la vraie) peuvent être absolument fiers d'une réalisation qu'il serait difficile de reproduire dans un État totalitaire bien géré.

Ou prenez le terme *processus de paix*. Les naïfs pourraient croire qu'il désigne des efforts faits pour obtenir la paix. Dans cette acception, nous dirions que le processus de paix au Moyen-Orient comprend, par exemple, l'offre d'un traité de paix complet à Israël par le président égyptien Sadate, en 1971, selon des lignes préconisées par la quasi-totalité de la planète, y compris la politique officielle des États-Unis ; la résolution du Conseil de sécurité de janvier 1976, introduite par les États arabes importants et soutenue par l'OLP, qui demanda un règlement en deux phases du conflit israélo-arabe, conformément à un consensus international quasi universel ; pendant les années 1980, l'offre de l'OLP de négocier avec Israël en vue d'une reconnaissance mutuelle ; des votes annuels à l'Assemblée générale des Nations unies, dont un, en décembre 1990 (voté par 144 voix contre 2), demandant une conférence internationale portant sur la question israélo-arabe, etc.

Mais les esprits subtils comprennent que ces efforts ne font pas partie du processus de paix, et ce, pour une raison bien simple, c'est que, dans son acception politiquement juste, le terme *processus de paix* désigne ce que fait le gouvernement américain — ce qui consiste, dans les cas mentionnés, à faire obstacle aux efforts internationaux en faveur de la paix. Les cas cités plus haut ne font donc pas partie du processus de paix, parce que les États-Unis ont soutenu le rejet par Israël de l'offre de Sadate, ils ont opposé leur *veto* à la résolution du Conseil de sécurité, ils se sont opposés aux négociations entre l'OLP et Israël et à leur reconnaissance mutuelle, et ils s'associent régulièrement à Israël pour s'opposer — c'est-à-dire, dans la réalité, exprimer leur *veto* — à toute tentative diplomatique en faveur d'un accord de paix, que ce soit aux Nations unies ou ailleurs.

Le processus de paix désigne exclusivement les initiatives américaines, qui tentent d'imposer un règlement unilatéral déterminé par les États-Unis, sans aucune reconnaissance des droits nationaux palestiniens. C'est ainsi que cela fonctionne. Ceux qui ne peuvent maîtriser ces techniques doivent se chercher une autre profession.

Il y a beaucoup d'autres exemples. Prenez le terme *intérêts particuliers*. Les campagnes de presse républicaines des années 1980 accusèrent régulièrement les démocrates d'être le parti des intérêts particuliers : les femmes, les travailleurs, les personnes âgées, les jeunes, les fermiers — bref, l'ensemble de la population. Il n'y avait qu'un seul secteur de la population qui ne fût jamais inscrit sur la liste des intérêts particuliers : les grandes entreprises et les gens d'affaires en général. Cela se comprend. Dans un discours politiquement juste, leurs intérêts (particuliers) s'appellent l'*intérêt de la nation*, devant lequel tous doivent se courber.

Les démocrates répondirent d'un ton plaintif qu'ils n'étaient *pas* le parti des intérêts particuliers : ils servaient aussi l'intérêt de la nation. C'était vrai, mais leur problème a été qu'ils n'ont pas une conscience de classe aussi ferme que celle de leurs opposants républicains. Ces derniers ne sont pas embarrassés de leur rôle de représentants des propriétaires et des gestionnaires de la société, de ces gens qui livrent une guerre de classes très dure contre le gros de la population, adoptant fréquemment un discours et des concepts puisés dans une espèce de marxisme simplifié, faisant appel à l'hystérie, à la peur et à la terreur chauvinistes, à la crainte respectueuse des grands dirigeants et à tous leurs autres procédés habituels pour contrôler la population. Les démocrates sont moins certains de leur allégeance, d'où leur efficacité moindre dans les guerres de propagande.

Enfin, prenez le terme *conservateur*, qui en est venu à désigner les défenseurs d'un État fort intervenant massivement dans l'économie et dans la vie sociale. Ceux-ci préconisent d'énormes dépenses publiques et un sommet jamais vu depuis la Seconde Guerre mondiale de mesures protectionnistes et d'assurance contre les risques du marché ; ils sont partisans de la restriction des libertés individuelles par toute une législation et un lourd appareil judiciaire ; ils veulent protéger l'État sacro-saint de tout contrôle indu de la part des citoyens que ces affaires ne concernent pas. En bref, ils préconisent ces programmes qui vont précisément à l'encontre du conservatisme traditionnel. Leur allégeance va « aux gens qui possèdent

le pays » et qui, par conséquent, « devraient le gouverner »,
pour reprendre les mots du Père fondateur John Jay.

Ce n'est vraiment pas si difficile, une fois que l'on
comprend les règles.

Pour arriver à comprendre le discours politique, il est
nécessaire de lui adjoindre une traduction qui décode le
langage à double sens des médias, des professeurs de
sciences sociales du milieu universitaire et des gourous du
monde profane. La fonction de ce discours est très claire :
il s'agit qu'il devienne impossible de trouver les mots pour
parler de façon cohérente de sujets qui intéressent les
humains. Nous pouvons alors être sûrs que l'on ne com-
prendra pas grand-chose au fonctionnement de notre
société et à ce qui se passe dans le monde — et ce sera une
contribution de premier plan à la *démocratie*, dans le sens
politiquement juste du terme.

Socialisme, vrai et faux

On peut discuter du sens du terme « socialisme », mais
s'il veut dire quelque chose, c'est le contrôle de la production
par les travailleurs eux-mêmes, pas par les propriétaires ou
par les directeurs qui les mènent et contrôlent toutes les
décisions, que ce soit dans les entreprises capitalistes ou dans
un État totalitaire.

Parler de l'Union soviétique comme d'un État *socialiste*
est un cas intéressant de langage doctrinal à double sens.
Le coup d'État bolchevique d'octobre 1917 plaça le
pouvoir étatique dans les mains de Lénine et de Trotsky,
qui s'empressèrent de démanteler les institutions socialistes
naissantes qui s'étaient développées durant la révolution
populaire des mois précédents — les conseils de travailleurs,
les Soviets, en fait tout organe sous contrôle populaire —
et de convertir la force de travail en ce qu'ils appelèrent une

« armée du travail » placée sous le commandement du chef. Dans tout ce que le terme « socialisme » signifie d'important, les Bolcheviques prirent immédiatement des mesures pour détruire ses éléments existants. Aucune déviation socialiste ne fut plus permise par la suite.

Ce déroulement des choses ne provoqua aucune surprise chez les intellectuels marxistes de premier plan, qui critiquaient les doctrines de Lénine depuis des années (comme l'avait fait Trotsky), parce qu'elles allaient centraliser l'autorité dans les mains de l'avant-garde du Parti et de ses dirigeants. En fait, des décennies plus tôt, le penseur anarchiste Bakounine avait prédit que la classe intellectuelle naissante allait suivre un de ces deux sentiers : ou bien elle essaierait d'exploiter les luttes populaires pour s'emparer elle-même du pouvoir et se muer en une bureaucratie rouge brutale et oppressive ; ou alors elle fournirait les directeurs et les penseurs de sociétés où régnerait un capitalisme d'État, au cas où la révolution populaire échouerait. C'était une vision perspicace, d'un côté comme de l'autre.

Les deux principaux systèmes de propagande dans le monde étaient en désaccord sur de nombreux points, mais ils se rejoignaient sur l'emploi du terme *socialisme* pour désigner la destruction immédiate de chaque élément du socialisme par les Bolcheviques. Ce n'est guère surprenant. Les Bolcheviques appelèrent leur système *socialiste* de façon à exploiter le prestige moral du socialisme.

Les Occidentaux adoptèrent la même acception pour la raison contraire : ils voulaient dénigrer les idéaux libertaires qu'ils craignaient en les associant aux cachots bolcheviques, saper ainsi la croyance populaire en une possibilité réelle de progrès vers une société plus juste, où il existerait un contrôle démocratique sur les institutions fondamentales et un intérêt réel pour les besoins et les droits des êtres humains.

Si le socialisme est la tyrannie de Lénine et de Staline, alors les gens sains diront : « Ce n'est pas pour moi ». Et s'il est la seule solution de remplacement du capitalisme d'État axé sur les besoins des grandes entreprises, alors, nombreux seront ceux qui se soumettront à ses structures autoritaires, parce qu'à leurs yeux, elles seront le seul choix raisonnable.

Avec l'effondrement du système soviétique, il existe une occasion de ranimer cette pensée socialiste libertaire, vivace et vigoureuse, qui n'avait pu résister aux assauts doctrinaux et répressifs des principaux systèmes de pouvoir. Quelle est la force de cet espoir, il n'est pas possible de le savoir. Mais au moins, un obstacle a été enlevé. Dans ce sens, la disparition de l'Union soviétique est une petite victoire du socialisme, tout comme le fut la défaite des puissances fascistes.

Les médias

Qu'ils soient « libéraux » ou « conservateurs », les principaux médias sont de grandes entreprises possédées et reliées entre elles par des conglomérats encore plus grands. Comme les autres entreprises, ils vendent un produit sur un marché. Ce marché, c'est celui de la publicité — c'est-à-dire d'autres entreprises. Le produit, c'est le public touché. Pour les médias de pointe qui fixent l'ordre du jour auquel tous les autres se conforment, le produit, c'est encore le public, même s'il s'agit cette fois d'un public relativement privilégié.

Ainsi donc nous voyons des entreprises importantes vendre un public assez prospère et privilégié à d'autres secteurs d'affaires. Il n'est donc pas surprenant que l'image que l'on présente du monde reflète les valeurs et les intérêts savamment calculés et partiaux des vendeurs, des acheteurs et du produit.

D'autres facteurs renforcent cette distorsion. Les responsables de la culture (rédacteurs en chef, journalistes de premier plan, etc.) partagent des intérêts de classe et des liens avec les gouvernements, les brasseurs d'affaires ainsi que les autres secteurs privilégiés. Il y a en fait un flux régulier de gens de haut niveau au sein des grandes entreprises, du gouvernement et des médias. Avoir ses entrées auprès des autorités de l'État est important si l'on veut conserver une position concurrentielle : les « fuites », par exemple, sont souvent des inventions et des super-cheries imaginées par les autorités avec la complicité des médias, qui font semblant de ne pas être au courant.

En échange, les autorités de l'État exigent coopération et soumission. D'autres cercles du pouvoir disposent également de moyens pour punir les entorses à l'ortho-doxie : cela va du marché financier à des mesures réelles de dénigrement et à la mise en place de tout un dispositif de diffamation.

Le résultat, naturellement, n'est pas absolument uniforme. Pour servir les intérêts des puissants, les médias doivent présenter une image à peu près réaliste du monde. Il arrive aussi que l'intégrité et l'honnêteté professionnelles entrent en conflit avec la mission primordiale. Les meil-leurs journalistes sont généralement très conscients des facteurs qui modèlent le produit médiatique, et ils cher-chent à tirer parti des ouvertures qui se présentent. Il en résulte qu'on peut apprendre beaucoup de choses par la lecture critique et sceptique de ce que les médias produisent.

Les médias ne constituent qu'une partie d'un système doctrinal plus important ; parmi les autres parties, il y a les journaux d'opinion, les écoles et les universités, la recherche universitaire, etc. Nous avons une connaissance bien plus approfondie des médias, et en particulier des médias de prestige, parce que ceux dont c'est la tâche d'analyser l'idéologie d'un regard critique se sont concentrés sur eux. On n'a pas étudié le reste du système avec autant d'attention et de profondeur, parce qu'il est plus difficile de s'y livrer à des enquêtes systématiques. Mais il y a de bonnes raisons de croire qu'il représente les mêmes intérêts que les médias, exactement comme l'on s'y attendrait.

Le système doctrinal, qui produit ce que nous appelons de la « propagande », lorsque nous parlons de nos ennemis, a deux cibles distinctes. La première, c'est ce qu'on appelle parfois la « classe politique », c'est-à-dire les 20 pour cent *grosso modo* de la population qui est relativement instruite, qui s'exprime avec plus ou moins de facilité, et qui joue un rôle dans la prise des décisions. Leur approbation de la doctrine est cruciale, parce qu'ils sont en position de concevoir et de mettre à exécution une ligne de conduite.

À côté, il y a les autres 80 pour cent environ de la population. Ce sont les « spectateurs de l'action » dont parle Lippmann, ceux qu'il désignait comme étant le « troupeau dérouté ». Ils sont censés suivre les ordres et se tenir hors du chemin des gens importants. Ils constituent la cible des véritables médias de *masse* : les tabloïds, les comédies de situation, le *Super Bowl*, etc.

Ces secteurs du système doctrinal servent à distraire la masse des prolétaires et à consolider les valeurs sociales de base : la passivité, la soumission à l'autorité, la sacro-sainte vertu de l'avidité et du gain personnel, le manque d'intérêt pour autrui, la crainte d'ennemis réels ou imaginaires, etc. Le but est de garder le troupeau dérouté en état de déroute. Il n'est pas utile qu'ils s'inquiètent de ce qui se passe dans le monde. En fait, ce n'est absolument pas souhaitable —

s'ils voient trop la réalité, ils peuvent se mettre à vouloir la changer.

Cela ne veut pas dire que les médias ne peuvent pas être influencés par l'ensemble de la population. Les institutions dominantes — qu'elles soient politiques, économiques ou doctrinales — ne sont pas à l'abri des pressions publiques. Les médias indépendants (alternatifs) peuvent également jouer un rôle important. Bien qu'ils manquent de ressources, presque par définition, ils gagnent de l'importance de la même manière que le font les organisations populaires : en rassemblant des gens aux ressources limitées qui peuvent multiplier leur efficacité, et leur propre compréhension, par le biais de leurs interactions — ce qui constitue précisément la menace démocratique qui fait si peur aux élites dominantes.

CHAPITRE IV

L'avenir

Les choses ont changé

Il est important de se rendre compte à quel point la situation a changé au cours des 30 dernières années, sous l'action des mouvements populaires qui se sont organisés d'une manière libre et chaotique autour de certaines questions telles que les droits civiques, la paix, le féminisme, l'environnement et d'autres questions d'intérêt humain.

Prenez les administrations Kennedy et Reagan, qui à de nombreux égards furent similaires dans leurs politiques et leurs engagements fondamentaux. Lorsque Kennedy déclencha sa vaste campagne de terrorisme contre Cuba, après avoir raté son invasion, et qu'il gravit ensuite les échelons du meurtrier terrorisme d'État au Sud-Viêt-nam jusqu'à l'agression ouverte, il n'y eut pas de protestation visible.

Il fallut attendre que des centaines de milliers de soldats américains aient été déployés et que toute l'Indochine ait subi des attaques dévastatrices, avec des centaines de milliers de morts, pour que les protestations gagnent en intensité et ne soient plus le fait de quelques marginaux. Par contraste, dès que l'administration Reagan laissa entendre qu'elle avait l'intention d'intervenir directement en Amérique centrale, des protestations spontanées jaillirent à une échelle suffisante pour obliger les terroristes d'État à se tourner vers d'autres moyens.

Les dirigeants pourraient pavoiser sur la fin du « syndrome vietnamien », mais ils sont plus malins que ça. Un compte rendu de la politique de sécurité nationale de l'administration Bush, publié au moment de l'offensive au sol dans le Golfe, fit remarquer ceci : « Dans les cas où les États-Unis sont confrontés à des ennemis beaucoup plus faibles » — les seuls que le véritable homme d'État acceptera de combattre — « notre défi ne sera pas simplement de les battre, mais de les battre de façon décisive et rapide. » Toute autre issue serait « embarrassante » et pourrait « compromettre le soutien politique », dont on sait qu'il est déjà très mince.

En fait, l'intervention classique n'est même pas considérée comme une option. Les moyens se limitent à la terreur clandestine, que l'on dissimule soigneusement à la population domestique, ou à la destruction « décisive et rapide » d'ennemis « beaucoup plus faibles » — après d'énormes campagnes de propagande les dépeignant comme des monstres d'une puissance indescriptible.

Il en va plus ou moins de même un peu partout. Prenez 1992. Si le 500ᵉ anniversaire de l'arrivée de Colomb avait eu lieu en 1962, on aurait eu droit à une célébration de la libération du continent. En 1992, cette conception n'a plus le monopole, et c'est là un phénomène qui a suscité une belle hystérie parmi les responsables des affaires culturelles, habitués à exercer un contrôle quasi absolu. Ils fulminent contre les « excès fascistes » de ceux qui préconisent le respect des autres peuples et des autres cultures.

Dans d'autres domaines aussi, il y a plus d'ouverture et de compréhension, plus de scepticisme et de remise en question de l'autorité. Naturellement, ces dernières tendances sont à double tranchant. Elles peuvent conduire à une pensée indépendante, à l'organisation populaire, et à des pressions en faveur de changements institutionnels hautement nécessaires. Mais elles peuvent également engendrer une population effrayée prête à se soumettre à de nouveaux chefs autoritaires. Ces éventualités ne sont pas une matière à spéculation, mais un incitatif pour passer à l'action, et les enjeux sont très importants.

Ce que vous pouvez faire

Dans n'importe quel pays, il y a toujours un groupe de personnes qui détiennent le pouvoir réel. Ce n'est pas posséder un grand secret que de savoir où se trouve le pouvoir aux États-Unis. Il se trouve fondamentalement dans les mains des gens qui orientent les décisions relatives aux investissements — à ce que l'on produit et à ce que l'on distribue. Ils pourvoient le gouvernement en personnel ; dans l'ensemble, ils choisissent les planificateurs et établissent les conditions générales pour la mise en œuvre du système doctrinal.

L'une des choses qu'ils souhaitent, c'est une population passive, tranquille. Par conséquent, l'une des choses que vous pouvez faire pour rendre leur existence inconfortable, c'est de n'être ni passif ni tranquille. Il y a des tas de façons d'y arriver. Même le simple fait de poser des questions peut avoir un effet important.

Manifestations, lettres écrites et votes, tout cela peut être utile ; cela dépend de la situation. Mais il y a un point d'une importance capitale : il faut une action soutenue et organisée.

Si vous participez à une manifestation et qu'ensuite, vous rentrez chez vous, c'est quelque chose ; mais les gens au pouvoir peuvent très bien s'en accommoder. Ce qu'ils ne peuvent supporter, c'est la pression soutenue qui continue à s'étendre, ce sont les organisations qui poursuivent leurs actions, ce sont les gens qui tirent toujours des leçons de la dernière fois et qui s'arrangent pour faire mieux la prochaine fois.

Aucun système de pouvoir, même s'il s'agit d'une dictature fasciste, n'est indifférent à la dissidence publique. C'est certainement vrai dans un pays comme le nôtre, où, heureusement, l'État ne dispose pas d'une force suffisante pour contraindre les gens. Au cours de la guerre du Viêtnam, la résistance directe à la guerre fut très importante, et ce fut un prix que le gouvernement dut payer.

Si les élections ne sont rien d'autre qu'un endroit où une partie de la population se rend pour appuyer sur un bouton toutes les deux ou trois années, elles n'ont aucune importance. Mais si les citoyens s'organisent pour mettre l'accent sur une situation, et qu'ils harcèlent leurs représentants à ce sujet, alors, dans ce cas, les élections peuvent avoir leur importance.

Il est beaucoup plus facile d'influencer les membres du Congrès que les sénateurs, et les sénateurs que le président, qui jouit habituellement de l'immunité. Une fois que vous avez atteint ce niveau, le choix de la ligne de conduite appartient presque entièrement aux gens riches et puissants qui possèdent et qui gèrent le pays.

Mais vous pouvez vous organiser à une échelle qui influencera les représentants. Vous pouvez faire en sorte qu'ils viennent chez vous pour se faire conspuer par un groupe de voisins, ou vous pouvez organiser un *sit-in* dans leurs bureaux, ou faire ce qui est susceptible de fonctionner dans les circonstances. Cela peut faire bouger les choses — et souvent de façon sensible.

Vous pouvez aussi faire vos propres recherches. Ne comptez pas trop sur les livres d'histoire officiels et les ouvrages de sciences politiques ; référez-vous à des monographies écrites par des spécialistes et aux textes originaux : les mémorandums de la Sécurité nationale et autres documents du genre. La plupart des bonnes bibliothèques ont des sections de références où vous pouvez trouver tous ces documents.

Cela demande certes un petit effort. La plus grande partie des matériaux n'est que de la camelote, et il vous faut lire une tonne de choses avant de trouver quelque chose de bon. Il existe des guides qui vous donnent des pistes sur les endroits où chercher. Parfois, vous dénichez des références dans des sources secondaires qui vous paraissent bizarres. Souvent, elles sont mal interprétées, mais elles suggèrent des endroits où chercher.

Il n'y a pas là de grand mystère, et intellectuellement, ce n'est pas difficile. Cela demande un peu de travail, mais tout le monde peut le faire à temps perdu. Et les résultats de ces recherches peuvent changer l'esprit des gens. La véritable recherche est toujours une activité collective, et ses résultats peuvent contribuer de façon importante à transformer les consciences, à augmenter la perspicacité et la compréhension, et à frayer la voie à une action constructive.

La lutte continue

La lutte pour la liberté n'est jamais terminée. Les gens du tiers monde ont besoin de notre compréhension et de notre sympathie ; bien plus que cela, ils ont besoin de notre aide. Nous pouvons leur fournir une marge de survie en déclenchant des perturbations internes ici aux États-Unis. Que ces pays puissent mener leur lutte à bien en dépit du genre de brutalité que nous leur imposons, dépend en grande partie de ce qui se passe ici.

Le courage dont ils font preuve est tout à fait étonnant. J'ai eu le privilège — et c'en est un, réellement — d'assister personnellement et de tout près à des démonstrations de ce courage en Asie du Sud-Est, en Amérique centrale et en Cisjordanie occupée. C'est une expérience très émouvante, en même temps qu'une exceptionnelle source d'inspiration, et elle me rappelle invariablement une remarque méprisante de Rousseau à l'endroit des Européens qui ont abandonné la liberté et la justice pour la paix et le repos : « Ils se sentent bien dans leurs chaînes. » Il poursuit en disant :

> Quand je vois des multitudes de Sauvages tout nus mépriser les voluptés européennes et braver la faim, le feu, le fer et la mort pour ne conserver que leur indépendance, je sens que ce n'est pas à des Esclaves qu'il appartient de raisonner de liberté.

Les gens qui pensent que ce ne sont là que des mots ne comprennent vraiment pas grand-chose au monde.

Et cela n'est qu'une partie de la tâche qui nous attend. Il y a chez nous, ici-même, un tiers monde qui prend de l'ampleur. Il y a des systèmes qui exercent une autorité usurpée dans toutes les sphères du monde social, politique, économique et culturel. Pour la première fois dans l'histoire de l'humanité, nous devons nous attaquer au problème de la protection d'un environnement qui puisse nous permettre de vivre une existence décente. Nous ne savons pas si un effort sérieux et appliqué sera suffisant pour résoudre ou même atténuer des problèmes de cette envergure. Nous pouvons être sûrs, cependant, que l'absence de tels efforts signifiera le désastre.

Notes

LES SOURCES DES FAITS RAPPORTÉS dans ce livre sont indiquées ici selon l'ordre d'apparition dans le texte (n° de page) et au moyen de brèves descriptions du sujet. Des données bibliographiques complètes sont fournie lors de la première citation de l'œuvre — sauf en ce qui concerne les livres de Chomsky lui-même.(Voir la bibliographie.)

11-12   Sur la planification de la « Grande zone » pour la période d'après-guerre par le secrétariat d'État et le conseil des Relations étrangères, voir Laurence SHOUP et William MINTER, « Imperial Brain Trust», *Monthly Review*, 1977. Il y a une foule de documents sur l'élaboration et la mise en application de ces plans. Comme travail plus ancien, mais d'une grande perspicacité, il y a le livre de Gabriel KOLKO, *Politics of War*, Random House, 1968. Comme étude récente valable, il y a celle de Melvin LEFFLER, *Preponderance of Power*, Stanford University Press, 1992. Pour d'autres sources et analyses, particulièrement au sujet du NSC 68, voir CHOMSKY, *Deterring Democracy*, ch.1 ; le NSC 68 et de nombreux autres documents rayés de la liste des documents secrets peuvent être trouvés dans les archives officielles du secrétariat d'État, « Foreign Relations of the United States », publiées généralement 30 ans après les événements.

13   Sur l'armée secrète, voir Thomas POWERS, *The Man Who Kept the Secrets : Richard Helms and the CIA*, Knopf, 1979 ; Mary Ellen REESE, *General Reinhard Gehlen : the CIA Connection*, George Mason University Press, 1990. Pour de plus amples détails, voir CHOMSKY, *Turning the Tide*, et les sources citées ; et Christopher SIMPSON, *Blowback*, Grove, Weidenfeld, 1987.

14   William Yandell ELLIOT, (dir.), *The Political Economy of American Foreign Policy*, Holt, Rinehart & Winston, 1955. Pour d'autres analyses, voir l'introduction de *Guerre en Asie*, de Noam CHOMSKY.

14-16   Sur Kennan et l'Amérique latine, voir Walter LAFEBER, *Inevitable Revolutions : the United States in Central America*, Norton, 1983.

16-18   Sur la planification d'après-guerre, voir CHOMSKY, *Turning the Tide*, ch. 2 et 4 ; et *Deterring Democracy*, ch. 1 et 11, et les sources citées.

20   Sur le plan Marshall, voir Michael J. HOGAN, *The Marshall Plan*, Cambridge University Press, 1987.

23   Lettre, Kolb, *New York Times*, 26 juillet 1983.

24   Pour la citation sur l'ultranationalisme, voir NSC 5432, 1954.

24-25   Sur les planificateurs de la politique américaine et les planificateurs sous Kennedy, voir CHOMSKY, *Idéologie et pouvoir*, conférence n° 1.

25-26   Sur le Costa Rica et Dulles, voir CHOMSKY, *Necessary Illusions*, appendice 5.1 ; Gordon CONNELL-SMITH, *The Inter-American System*, Oxford University Press and Royal Institute of International Affairs, 1966.

30   Sur la stabilité, voir Peiro GLEIJESES, *Shattered Hope*, Princeton University Press, 1991, pp. 125 et 365.

31-32   Sur le Japon et Kennan, voir Bruce CUMMINGS, *The Origins of the Korean War*, vol. II, Princeton University Press, 1990.

33   Sur Stimson, voir KOLKO, *Politics of War*, p.471.

35-36   Sur Schoultz et les études de Herman, voir CHOMSKY, *Turning the Tide*, pp. 157 et s.

36   Sur le miracle économique, voir CHOMSKY, *Turning the Tide*, 1.8 et sources citées ; Robert WILLIAMS, *Export Agriculture and the Crisis in Central America*, University of North Carolina Press, 1986.

36   Sur Adams, voir CHOMSKY, *Deterring Democracy*, pp. 34 et s.

37-38   Sur les relations avec les militaires, voir CHOMSKY, *Idéologie et pouvoir*, 1ère conférence, et *Turning the Tide*, p. 216.

37-38   Sur l'acheminement d'armes américaines vers l'Iran, voir CHOMSKY, *Fateful Triangle*, pp. 475 et s.; *Turning the Tide*, pp. 130-131; et *Culture and Terrorism*, ch. 8.

39-40   Sur le Brésil et la situation dans le tiers monde, voir CHOMSKY, *Deterring Democracy*, ch. 7; et la SOUTH COMMISSION, *The Challenge and the South*, Oxford University Press, 1990.

41-57   Sur l'Amérique centrale, voir CHOMSKY, *Turning the Tide*; *Culture and Terrorism*; *Necessary Illusions*; *Deterring Democracy*; HERMAN et CHOMSKY, *Manufacturing Consent*. Voir aussi John HASSETT et Hugh LACEY, *Towards a Society that Serves its People: the Intellectual Contributions of El Salvador's Murdered Jesuits*, Georgetown University Press, 1992.

49   Sur les explications d'*Oxfam*, voir Dianna MELROSE, *Nicaragua: the Threat of a Good Example*, Oxfam, 1985.

57-64   Sur le Panama, voir CHOMSKY, *Deterring Democracy*, ch. 5.

62   Sur l'administration Bush, voir CHOMSKY, «"What We Say Goes": The Middle East in the New World Order», *in* Cynthia PETERS, (dir.), *Collateral Damage*, South End Press, 1992, pp. 49-92.

63   Sur le trafic de la drogue, voir CHOMSKY, *L'An 501*; «World Orders, Old and New, Part 1», *Z Magazine*, mars 1992, pp. 24-36.

64-67 Sur l'Asie du Sud-Est et la couverture médiatique des années 1950 aux années 1980, voir HERMAN et CHOMSKY, *Manufacturing Consent.*

65-66 Sur la réaction des médias au coup d'État en Indonésie, voir CHOMSKY : «"A Gleam of Light in Asia"», *Z Magazine*, sept. 1990, pp. 15-23.

67-76 Sur la guerre du Golfe, voir CHOMSKY, *Deterring Democracy*, ch. 6 et postface (édition de 1991) ; et Chomsky, dans PETERS, *Collateral Damage.*

76-78 Concernant la tentative pour étouffer l'affaire de l'Iran et de la *contra*, voir CHOMSKY, *Fateful triangle*, pp. 475 et s. ; *Turning the Tide*, pp. 130-131 ; et *Culture and Terrorism*, ch. 8.

78 Au sujet du journal des jésuites salvadoriens, voir CHOMSKY, *Deterring Democracy*, pp. 354-55.

80-81 Au sujet de l'Europe de l'Est et de l'Amérique latine ainsi que de l'Afrique, voir CHOMSKY, *Deterring Democracy*, ch. 7.

84 Pour la citation du *Chicago Tribune*, voir William NEIKIRK, «We are the World's Guardian Angels», *Chicago Tribune*, 9 sept. 1990. Cité dans CHOMSKY, *Deterring Democracy*, p. 5.

87-92 Au sujet de la guerre froide, voir CHOMSKY, *Turning the Tide*, ch. 4 ; et *Deterring Democracy.*

88   Pour la citation de Dulles, voir l'appel téléphonique de John Foster Dulles à Allen Dulles, 19 juin 1958, «Minutes of Telephone Conversations of John Foster Dulles and Christian Herter», Bibliothèque Dwight D. Eisenhower, Abilene, Kansas. Cité dans «A View from Below», *Diplomatic History*, hiver 1992.

92-96   Au sujet de la guerre contre la drogue, voir CHOMSKY, *Deterring Democracy*, ch. 4.

96-101   Au sujet du discours politique, voir Edward S. HERMAN, *Beyond Hypocrisy*, South End Press, 1992.

97   Concernant Lippmann (et l'évolution de ces notions depuis l'Angleterre du XVIIe siècle à nos jours), voir Chomsky, *Deterring Democracy*, ch. 12.

98   Au sujet de Stevenson et du concept de «défense contre l'agression», voir CHOMSKY, *For Reasons of State*, ch. 1, s. 6.

98-99   Concernant le processus de paix, voir CHOMSKY, *Towards a New Cold War*, ch. 9 ; *Fateful Triangle*, ch. 3 ; *Necessary Illusions*, appendice 5.4 ; et la postface de *Deterring Democracy*, (édition de 1991).

100   Au sujet de John Jay, voir Frank MONAGHAN, *John Jay*, Bobbs-Merrill, 1935, p. 323.

101-103 Au sujet du socialisme, voir HERMAN et CHOMSKY, *Manufacturing Consent*.

107-108 Pour le compte rendu de la politique de sécurité nationale, voir Maureen DOWD, *New York Times*, 23 fév. 1992.

112   La citation de Jean-Jacques Rousseau est tirée de *Discours sur l'origine et les fondements de l'inégalité parmi les hommes*, idées/Gallimard, 1965, p. 111.

Index

— F —

Ouvrages politiques de Noam Chomsky

I : Ouvrages traduits en français :

Guerre en Asie, Paris, Hachette, 1971.

Paix et guerre au Proche-Orient, Paris, Belfont, coll. « Éléments ».

L'Amérique et ses nouveaux mandarins, Paris, Éd. du Seuil, 1971.

Les problèmes du savoir et de la liberté, Paris, Hachette, 1973.

Bains de sang, avec Edward S. HERMAN, Paris, Seghers/Laffont, coll. « Change », 1975.

Langue, linguistique, politique : dialogue avec Mitsou Ronat, Paris, Flammarion, coll. « Champs » ; n° 261 », 1977.

Économie politique des droits de l'Homme, vol.1 : La « Washington Connection » et le fascisme dans le Tiers Monde, Paris, J.-E. Hallier-Albin Michel, 1981.

Écrits politiques, Éd. Acratie, 1984. (Recueil de textes tirés en partie de *Radical Priorities*).

Réponses inédites à mes détracteurs parisiens, Paris, Spartacus, 1984, (distribué au Québec par ÉDAM).

Idéologie et pouvoir, Bruxelles, EPO, 1991.

L'An 501, la conquête continue, Montréal, Écosociété/Bruxelles, EPO, 1995.

Un monde complètement surréel, Montréal, Éditions et diffusion l'Aide mutuelle-ÉDAM, 1996.

II : Ouvrages en anglais :

Class Warfare (entrevues avec David Barsamian), Monroe, Common Courage Press, 1996.

Secrets, Lies and Bureaucracy (entrevue avec David Barsamian), Odonian Press, 1994.

World Orders Old and New, Columbia University Press, 1994.

Letters from Lexington : Reflections on Propaganda (lettres), Common Courage Press, 1993.

The Prosperous Few and the Restless Many (Compilation d'entrevues avec David Barsamian), Odonian Press, 1993.

Rethinking Camelot, Boston, South End Press/Montréal, Black Rose Books, 1993.

Year 501 : The Conquest Continues, South End Press/Black Rose Books, 1993.

Chronicles of Dissent (entrevues avec David Barsamian), Common Courage)/New Star Books, 1992.

Deterring Democracy, Verso, 1990 ; édition révisée, Hill & Wang, 1991.

Necessary Illusions : Thought Control in Democratic Societies, South End Press, 1989.

The Culture of Terrorism, South End Press, 1988.

Language and Politics, C.P. Otero, (dir.), Montréal, Black Rose Books, 1988.

On Power and Ideology : the Managua Lectures, South End Press, 1987.

Pirates and Emperors: International Terrorism in the Real World, Black Rose Books, 1987.

Turning the Tide: U.S. Intervention in Central America and the Struggle for Peace, South End Press, 1985.

The Fateful Triangle: the United States, Israel and the Palestinians, South End Press, 1983; Noontide, 1986.

Towards a New Cold War: Essays on the Current Crisis and How We Got There, Pantheon, 1982.

Radical Priorities, Black Rose Books, 1981.

For Reasons of State, Pantheon, 1973 (épuisé).

At War with Asia, Pantheon, 1970 (épuisé).

En collaboration avec Edward S. Herman:

Manufacturing Consent: the Political Economy of the Mass Media, Pantheon, 1988.

After the Cataclysm: Postwar Indochina and the Reconstruction of Imperial Ideology, South End Press, 1979.

The Washington Connection and Third World Fascism, South End Press, 1979.

En collaboration avec d'autres auteurs:

Mobilizing Democracy: Changing the U.S. Role in the Middle East, Greg Bates, (dir.), Common Courage, 1991.

III: Conférences:

The New World Order, Open Magazine Pamphlet Series, 1991.

Terrorizing the Neighborhood: American Foreign Policy in the Post-Cold War Era, Pressure Drop Press, 1991.

U.S. Gulf Policy, Open Magazine Pamphlet Series, 1990.

Faites circuler nos livres.

Discutez-en avec d'autres personnes.

Si vous avez des commentaires,
faites-les nous parvenir; il nous fera plaisir
de les communiquer aux auteurs et à notre
comité de rédaction.

Les Éditions Écosociété
C.P. 32 052, succursale Les Atriums
Montréal (Québec)
H2L 4Y5

• Cap-Saint-Ignace
• Sainte-Marie (Beauce)
Québec, Canada
1996

«L'IMPRIMEUR»

Ce livre est imprimé sur papier *Nouvelle vie Opaque*:
– 50 % papier recyclé;
– 10 % de fibres post-consommation;
– non blanchi au chlore.